# 국제 분쟁으로 보다,
# 세계사

보다
역사
현대의 주요 분쟁들로 이해하는 세계사
송영심 글

풀빛

## 작가의 말

2024년 1월, 미국 핵과학자회보(BAS) 과학안보위원회는 '운명의 날 시계(Doomsday Clock)'의 초침이 자정 90초 전을 가리키고 있다고 발표했다. 1947년에 미국과 소련의 핵 경쟁을 경고하기 위해 만들어진 '운명의 날 시계'는 '자정 7분 전'에서 시작되었는데, 2023년부터 2년 연속 인류 공멸의 시점을 나타내는 자정으로 가기 불과 90초 전에 머무르고 있다. 2025년 1월이 되면 시계 초침은 더욱 자정 쪽으로 다가갈지도 모른다. 2022년에 일어난 러시아의 우크라이나 침공에 이어, 이 글을 쓰고 있는 현 시점에도 이란과 이스라엘의 분쟁 역시 격화되고 있기 때문이다.

세계는 더욱 가까워졌지만 곳곳에서 지역 분쟁이 끊이지 않고 있다. 분쟁이 일어나는 원인은 다양한데, 주로 민족과 종족의 연원, 종교에서 일어나는 갈등, 자원과 영토에 대한 이해관계, 그리고 지정학적 위치에서 생성된 갈등이 역사적 상흔과 합쳐져 테러와 무력 분쟁의 양상으로 표출된다. 세계은행의 분석에 따르면, 세계에서 일어나는 내전의 80%는 가장 가난한 16%의 국가에서 일어난다고 한다. 분쟁은 기아를 낳고, 기아는 다시 테러와 분쟁을 격화시키는 악순환이 계속되는 것이다.

세계화와 신냉전 시대에 세계 곳곳에서 일어나는 무력 분쟁과 테러는 지구촌 전체를 공멸로 몰아갈 수 있는 위험 요소이다. 예를 들어 보면, 2024년 현재 3년째 계속되고 있는 러시아와 우크라이나의 전쟁으로 밀을 비롯한 국제 곡식 값이 폭등했으며, 러시아는 핵전쟁으로 갈 수 있음을 공언하기까지 했다. 또한 2023년 시작된 가자 지구의 하마스와 이스라엘의 충돌이 2024년에 이르러 이란과 이스라엘의 분쟁으로 확대되면서 석유 값 인상에 따른 경제적 파국의 공포가 전 세계 사람들을 긴장으로 몰아넣고 있다. 특히 이스라엘과 이란 모두 핵보유국이기에 이 분쟁은 종교적 갈등을 넘어 제3차 세계 대전으로 확대될 위험을 안고 있다.

2024년 4월, 미국 연방 하원은 반년 동안 표류하던 우크라이나·이스라엘·타이완에 대한 지원금을 통과시켰다. 우크라이나에 84조 원이, 이스라엘에도 36조 원이 지원될 전망이다. 이를 통해 세계 곳곳에서 일어나고 있는 지역 분쟁 뒤에는 미국과 러시아를 비롯한 강대국들이 자리 잡고 있음을 알 수 있다. 2024년 3월에 발표된 스웨덴 스톡홀름 국제평화연구소의 보고에 의하면 세계 무기 수출국 1위는 미국, 2위가 프랑스, 3위가 러시아, 4위가 중국이다. 한국도 그 대열에서 멀지 않다. 한국은 2022년 세계 무기 수출 순위 8위에 이르렀다. 지난 정부와 현 정부 모두 방산 산업 수출 전선을 위해 뛰어다닌다. 한국에서 수출한, 한글이 선명하게 새겨진 수류탄을 든 예멘의 후티 반군의 사진은 멀리 떨어져 있는 우리의 마음까지 섬뜩하게 만든다. 무력 분쟁을 벌이는 양편의 어느 한쪽에 서서 무기를 구입할 수 있는 막대한 예산을 투입하거나 첨단 무기를 지원해 주는 것은 지역 분쟁의 올바른 해결 방법이 아니다. 그 분쟁이 왜 일어나게 되었는지, 무엇이 분쟁을 격화시켰는지를 면밀하게 분석하고 평화적인 해결을 위한 해법을 탐색하는 것이 우선이다. 이후에 국제 사회가 공조하여 분쟁을 해결할 수 있는 공동의 노력을 펼쳐나가는 것이 필요하다. 또한 분쟁이 일어나는 동안 얼마나 많은 사람들이 전쟁의 고통 속에서 울부짖으며 이곳저곳을 떠돌아다니는 비참한 난민 생활을 하게 되었는지를 알고, 그들에게 인도적 차원의 따뜻한 도움의 손길을 보내려는 노력을 펼쳐야 한다.

세계 곳곳에서 일어난 무력 분쟁을 세계사적인 관점과 역사적인 연원에서 그 원인을 찾고 평화적인 해법을 모색하기 위해서 이 책을 썼다. 분쟁이 일어나기 전에 평화로웠던 삶의 모습을 복원해 보고, 그들이 하나밖에 없는 목숨을 바쳐 분쟁의 희생양을 자처하게 된 이유를 통해 갈등의 심연을 냉철하게 분석해 보았다. 분쟁과 테러의 흑막에 숨어 있는 제국주의 식민지 시대의 상흔을 파헤쳐 보고, 분쟁 과정에서 일어나는 끔찍한 전쟁 범죄 속에서 삶의 터전을 잃고 고통 받는 난민들의 가슴 저릿한 사연들을 담았다.

무엇보다도, 이 책을 읽는 독자가 세계 시민의 한 사람으로서 그들에게 평화와 안전, 인간답게 생존할 수 있는 생활환경과 삶의 가치를 줄 수 있는 따뜻한 손을 내밀어 주기를 바라는 마음이다. 이 책이 지금 이 시간에도 분쟁으로 가족을 잃고 피눈물을 흘리며 열악한 난민 캠프에서 온갖 범죄의 유혹을 이겨내며 꿋꿋이 생활하고 있는 사람들에게 작지만 소중한 이슬이 되기를 바란다.

끝으로 이 책이 나오기까지 정성을 다한 편집으로 애써 준 박주혜 에디터님을 비롯한 풀빛 편집부 여러분께 감사 인사를 전한다.

송영심

차례

1
레바논
서안
지구
시리아
서안지구
텔아비브
예루살렘
가자지구
이스라엘
요르단
이집트

# 예루살렘을 둘러싼
# 이스라엘과 팔레스타인의
# 기나긴 분쟁

**이스라엘·팔레스타인 분쟁 연표**

1948 이스라엘 건국 선포
제1차 아랍·이스라엘 전쟁 발발
1956 제2차 아랍·이스라엘 전쟁 발발
1967 제3차 아랍·이스라엘 전쟁 발발
1973 제4차 아랍·이스라엘 전쟁 발발
1993 오슬로 평화 협정 체결
2023 이스라엘·하마스 전쟁 발발

**그때 우리는**

1948 대한민국 정부 수립
1950 6·25 전쟁 발발(~1953)
1960 4·19 혁명, 제2공화국
1961 5·16 군사 정변, 제3공화국
1972 10월 유신, 제4공화국
1993 김영삼 정부 출범
2022 한국형 발사체 누리호 발사 최초 성공

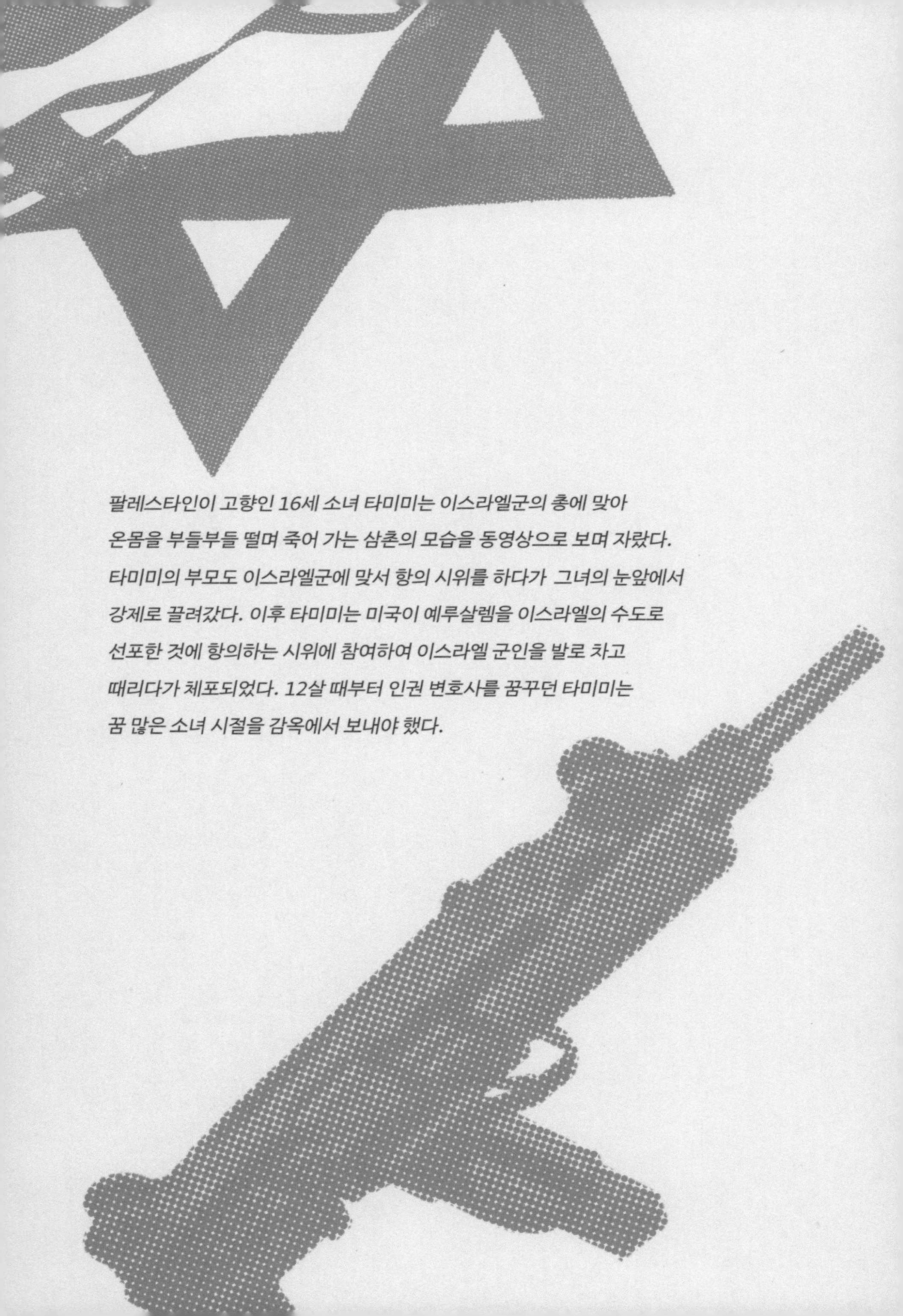

*팔레스타인이 고향인 16세 소녀 타미미는 이스라엘군의 총에 맞아 온몸을 부들부들 떨며 죽어 가는 삼촌의 모습을 동영상으로 보며 자랐다. 타미미의 부모도 이스라엘군에 맞서 항의 시위를 하다가 그녀의 눈앞에서 강제로 끌려갔다. 이후 타미미는 미국이 예루살렘을 이스라엘의 수도로 선포한 것에 항의하는 시위에 참여하여 이스라엘 군인을 발로 차고 때리다가 체포되었다. 12살 때부터 인권 변호사를 꿈꾸던 타미미는 꿈 많은 소녀 시절을 감옥에서 보내야 했다.*

# 이스라엘 vs 팔레스타인,
## 끝나지 않는 충돌의 역사

2023년 10월 7일, 서아시아의 유일한 유대인 국가인 이스라엘에서 참변이 일어났다. 팔레스타인 사람들이 조직한 급진적 무장 단체인 하마스가 그들이 장악하고 있는 가자 지구와 인접한 이스라엘 도시를 향해 5,000여 발의 로켓포를 발사한 것이다. 당시 도시 한편의 거리에서 열린 음악 축제에 참여해 가족, 연인과 함께 음악을 즐기고 있던 사람들이 순식간에 비명을 지르며 쓰러지고 축제 현장은 아수라장이 되었다. 포탄이 빗발치듯 떨어져 건물을 무너트리는 등 공격의 여파로 900여 명이 귀중한 생명을 잃어야 했다. 그중에는 5세 미만의 어린이도, 칠순이 넘은 노인도 있었다. 하늘에서는 거대한 프로펠러가 달린 패러글라이더를 탄 수백 명의 전투 요원들이 기관총을 들고 침투하여 사람들을 닥치는 대로 죽이고, 150여 명의 이스라엘인들을 납치해 갔다. 손이 뒤로 묶인 채 머리채를 잡혀 끌려가기도 하고 시트로 칭칭 감긴 채로 붙잡혀 가기도 했다. 곧 있을 이스라엘의 보복에 대비해 인간 방패로 삼기 위한 것이었다.

그러자 사우디아라비아를 비롯한 아랍 국가들은 팔레스타인에 대한 지지를 공식적으로 발표했다. 반면 이스라엘의 우방인 미국은 즉각적으로 이스라엘에 대한 전폭적인 지지를 약속했다. 뒤이어 행해진 하마스의 기습 공격에 대한 이스라엘의 잔인한 보복은 국제 사회를 경악하게 했다. 이스라엘군의 집중 포화로 건물이 무너져 내렸고, 탱크 수백 대가 지나간 도로는 형태를 잃었으며 지형 자체가 사라진 곳도 있었다. 이스라엘군이 가자 지구에 전기 공급을 끊고 연료 반입까지 막아 버리는 바람에, 밤이 되면 빛이 사라진 칠흑 같은 암흑 도시로 변했다. 이스라엘은 가자 지구의 알시파 병원 지하에 하마스의 비밀 본부가 있다고 생각해 무차별 공습을 퍼부었다. 이로 인해 중환자부터 이제 막 태어난 신생아까지 귀중한 생명을 잃었다. 낮이 되면 생필품 공급이 중단된 상황에서 빵 한 조각을 얻으려는 사람들로 아수라장이 펼쳐졌다.

이러한 양측의 공방전 속에서 인권은 자취를 감추었다. 하마스 대원들은 납치와 살인, 강간을 저질렀고 이스라엘은 포로로 잡은 하마스 대원들을 발가벗긴 채로 눈을 가리고 운동장에 무릎을 꿇려 놓기도 했다. 세계적인 NGO 단체 세이브더칠드런(Save the Children)은 유엔 관련 기구 등의 통계를 분석하여 이스라엘의 무차별한 공격으로 매일 10여 명 이상의 어린이가 다리를 절단해야 하는 부상을 입으며, 마취제가 부족하여 마취 없이 절단 수술을 행하고 있음을 보고하며 어서 전쟁을 멈추어야 한다고 호소하기도 했다. 2024년 1월, 가자 지구에서 9,000번째 어린이 장례식이 있었다. 전쟁 발발 단 3개월 만에 가자 지구 전체 거주민 227만 명의 약 1%에 달하는 2만 3,000여 명이 목숨을 잃었다. 부상자는 5만 9,000여 명에 달하는데, 이스라엘의 공격이 계속되고 있어 사상자는 계속 늘어날 전망이다.

국제 사회는 이번 이스라엘-하마스 전쟁이 제5차 아랍·이스라엘 전쟁으로 확대되지 않을까 우려의 촉각을 곤두세우고 있다. 실제로 2024년 4월에 하마스를 지원하고 있는 것으로 알려진 이란을 향해 이스라엘이 정면 공격을 하는 일이 발생했다. 시리아의 수도 다마스쿠스 주재 이란 총영사관을 공습한 것이다. 분명한 주권 침해에 분노한 이란은 단 하루 동안 무인기(170대)·순항미사일(30발)·탄도미사일(120발)을 이스라엘에 쏟아부었다. 그러자 이스라엘은 다마스쿠스를 정면 타격하는 등 이런 사태가 한동안 이어질 것으로 보인다. 도대체 이스라엘과 팔레스타인 사이에 어떤 일들이 있었기에 양측이 이렇게 잔인한 폭력 행위를 저지르고 있는 걸까? 그 배경을 알아보기 위해 먼저 이스라엘의 건국 과정부터 살펴보자.

## 팔레스타인인들이 대를 이어 살던 지역에 1,800여년 만에 돌아와 나라를 세운 사람들

이스라엘은 1948년 제2차 세계 대전 종전과 함께 전 세계에 흩어져 살던 유대인 600만여 명이 모여 서아시아의 팔레스타인 지역에 세운 국가이다. 유대인들은 제2차 세계 대전 당시 인종주의자인 히틀러가 이끄는 독일에 의해 아우슈비츠 강제 노동 수용소 등에서 600만여 명이 끔찍한 죽임을 당한 '홀로코스트(Holocaust)'를 겪었다. 원래 홀로코스트는 고대 그리스에서 신에게 제사를 지낼 때 동물을 태워서 제물로 바치는 번제(燔祭, 고대 그리스어로 holokaustos)를 의미했다. 그런데 이스라엘 건국 당시 이스라엘 초대 총리가 처음 공식적으로 '유대인 대량 학살'이라는 뜻을 담아 이 단어를 사용하면서, 그 이후로 제2차 세계 대전 때 독일이 저지른 유대인 대량 학살을 의미하는 말이 되었다. 당시 독일은 단지 유대인이라는 이유로 그들의 모든 재산을 빼앗고 강제 수용소로 끌고가서 음식도 제대로 주지 않고 강제 중노동을 시키다가, 최후에는 가스실에서 집단 학살을 자행했다. 그 과정에서 어린이 백만여 명이 참혹한 죽임을 당했다. 제2차 세계 대전이 끝나자 유대인들은 힘을 합쳐 그 누구에게도 차별받지 않는 그들만의 국가를 세우기로 했다. 전 세계에 흩어져 있던 유대인들이 성서에서 '젖과 꿀이 흐르는 땅'이라고 묘사한 서아시아의 가나안 땅으로 모여들었다. 지금은 팔레스타인이라고 불리는 이곳은 고대 이스라엘의 국가가 화려하게 꽃을 피웠던 지역이기 때문이다. 돌멩이 하나로 거인 골리앗을 물리친 다윗(다비드)과 지혜로운 왕으로 유명한 솔로몬이 유대 왕국 전성기의 왕들이었다. 그러나 유대 왕국은 갈등을 겪다가 남쪽의 유대 왕국과 북쪽의 이스라엘 왕국으로 분열되었다. 그러다가 BC 722년에 이스라엘 왕국이 서아시아를 최초로 통일한 아시리아에 의해 멸망을 당했다. 유대

왕국의 운명도 길지 못했다. BC 586년에 세워진 신바빌로니아 왕국에 정복되어 유대인 전부가 노예로 신바빌로니아의 수도인 바빌론으로 끌려갔다. 이 사건을 '바빌론의 유수'라고 한다.

유대인들은 신바빌로니아 왕국을 멸망시킨 페르시아 제국의 키루스 대왕에 의해 노예 생활에서 풀려나 예루살렘으로 돌아올 수 있었다. 하지만 유대인들이 살던 팔레스타인 지역은 페르시아 제국을 멸망시킨 알렉산드로스 대왕과 그의 후계자들에 이어서 로마 제국의 지배를 받게 되었다. 로마 제국의 총독이었던 빌라도의 통치기에는 예수 그리스도가 십자가에 못 박히기도 했다. 이때 예수의 열두 제자 중 한 사람이었던 유대인 유다가 은 30전에 눈이 멀어 예수를 붙잡으려는 사람들에게 팔아넘겼고, 이 일로 서유럽을 지배하는 크리스트교 사회에는 금전에만 눈이 어둡다는 이유로 유대인을 멸시하는 반유대인 정서가 생겨났다. 한편, AD 135년에 유대인들이 로마 제국에 저항하여 일으킨 반란이 철저히 진압을 당하면서 유대인들은 팔레스타인 지역에서 영원히 추방을 당했다. 이후 유대인들은 전 세계로 흩어져 살게 되었다. 그럼에도 자신들의 규범과 관습을 지켜 나갔는데 이렇게 분산된 유대인들을 '디아스포라(Diaspora)'라고 일컫는다. 유대인들이 추방당한 후 팔레스타인 지역에는 팔레스타인 사람들이 유목 생활을 하며 살게 되었다. 이들 대부분은 AD 7세기에 무함마드가 창시한 이슬람교의 독실한 신도가 되었다. 그런데 AD 2세기부터 1,800여 년 동안 살아 왔던 그들의 고향에 별안간 전 세계에 흩어져 살던 유대인들이 들어와 유대인의 나라를 세우겠다고 선언하더니, 영국 등 강대국의 도움을 받아서 정말 국가를 수립하고 말았다.

## 분쟁의 불씨를 지핀 영국과 아랍 국가들

이스라엘이 20세기 들어 팔레스타인 땅에 국가를 건설한 것은 마치 이런 것이다. 우리 민족이 한반도에서 삼국 시대 이래로 잘 살고 있었는데 1,800여 년 만에 다른 민족이 나타나서 이 땅은 우리 조상이 2,000년 전에 살던 곳이니 모두 나가라고 하는 것과 같다. 이런 말도 되지 않는 일을 가능하도록 이스라엘을 도와준 강대국이 있었다. 제1차 세계 대전 중에 막대한 경제력을 가진 유대인의 경제적 지원을 받았던 영국이 그 주인공이다. 영국의 고위급 당국자인 맥마흔과 벨푸어가 유대인들과 아랍인들에게 각각 다른 약속을 하여 이스라엘과 팔레스타인 사이에 분쟁의 빌미를 제공한 것이다. 먼저 영국 고등 판무관 맥마흔(1862~1849)은 제1차 세계 대전 중이었던 1915~1916년까지 이집트에 주재하고 있던 사우디아라비아 메카의 샤리프(이슬람을 믿는 모든 이들의 재산과 토지와 생명을 지키는 역할을 하는 사람을 말함) 알리 이븐 후세인(1879~1935)과 왕복 서신을 주고받으면서 중요한 약속을 했다. 오스만 제국의 지배를 받고 있는 아랍인들이 독일과 한편인 오스만 제국에 반기를 들어 준다면, 전쟁이 끝난 후 오스만 제국 내 영토에 아랍인들이 독립 국가를 세우는 것을 지지하겠다는 것이었다. 반면 영국의 외무장관 벨푸어(1848~1930)는 제1차 세계 대전에 미국의 참전을 이끌어 내기 위해 미국의 큰손들인 유대인 편을 들어주기로 한다. 그는 1917년에 영국 금융가이자 유대인들 사이에서 매우 영향력 있는 유대인 월터 로스차일드(1868~1937)에게 서한을 보내 이렇게 선언했다.

> "우리 정부는 팔레스타인에 유대 민족을 위한 터전(National Home)을 건설하는 일에 호의를 보이며 이 목적을 쉽게 달성할 수 있도록 최선을 다할 것입니다…."

여기에 단서가 달려 있었다. 팔레스타인에 현재 거주하고 있는 비유대인들의 시민적, 종교적 권리를 손상하지 않는다는 전제 조건에서 들어주겠다는 것이었다.

제2차 세계 대전 당시 처참한 홀로코스트를 겪었던 유대인들은 전쟁이 끝나자 악몽을 떨쳐 내고 시오니즘의 정신으로 가나안 땅에 돌아가 그들끼리 모여 살기로 했다. '시오니즘'을 제창한 대표적인 인물은 오스트리아의 저널리스트인 T.헤르츨(1860~1904)이다. 그는 유대인들에게 성서에 약속된 땅인 "젖과 꿀이 흐르는 땅", 즉 팔레스타인 지역 중심부 예루살렘의 '시온'으로 돌아가자는 운동을 일으켰다. 제2차 세계 대전이 끝나고 유대인들은 영국이 위임통치하고 있는 팔레스타인 지역에 이주하여 국가를 세울 준비를 했다. 유대인들이 막강한 경제력으로 팔레스타인의 땅을 사들여 이주하면 할수록, 팔레스타인에 원래 살고 있던 사람들은 경제력을 잃고 빈민층으로 밀려났다. 영국군에서 조직적인 훈련을 받은 바 있는 이스라엘 무장 조직이 팔레스타인 사람들이 살고 있던 데일 야신촌을 무참히 공격하여 민간인 250여 명을 학살하기도 했다. 공포심을 주어 팔레스타인을 떠나게 하겠다는 속셈이었다.

이러한 유대인 이주에 대해 팔레스타인 사람들의 불만이 점차 높아지자 영국은 골치 아픈 팔레스타인 문제를 슬쩍 유엔에 떠넘겨 버렸다. 1947년 제2차 유엔 총회는 팔레스타인 지역을 유대인이 사는 지역 56%와 아랍인이 거주하는 지역 44%로 나누어 각기 독립시킬 것을 결정했다. 당시 팔레스타인에 거주하는 아랍인은 130만여 명이고 유대인은 65만여 명에 불과했는데도 말이다. 아랍인을 비롯한 팔레스타인 사람들은 이 결정을 도저히 받아들일 수 없어 즉각 거부했다. 그런데 1948년 5월 14일, 영국의 위임통치가 끝나고 영국군이 철수를 완료하자 유대국가건국위원회 의장 벤 구리온(1886~1973)이 전격적으로 텔아비브에서 이스라엘 건국을 선언했다. 그러자 아랍연맹에 가입한 국가들이 바로 다음 날에 일제히 이스라엘을 상대로 전쟁을 일으켰다.

이것이 제1차 아랍 · 이스라엘 전쟁(1948)이다. 이때 아랍 연합 국가들은 저마다 팔레스타인 지역을 자국의 영토로 만들겠다는 야멸찬 속셈을 품고 있었다. 당시 아랍 국가들이 독립한 지 얼마 안 된 시점에서 조금이라도 국경선을 확보하고 싶은 욕심에서였다. 아랍 · 이스라엘 전쟁은 모두 4차례나 계속되었다. 그러나 결과는 모두 이스라엘의 승리였다.

## 4차례에 걸친 분쟁에 이어 다시 되살아난 비극

제1차 아랍 · 이스라엘 전쟁 이후 팔레스타인 지역에서 밀려난 100만여 명의 아랍인들은 떠도는 신세가 되었다. 그 때문에 아랍인들은 유대인들에 대한 깊은 원한을 가지게 되었다. 이스라엘은 물론 이스라엘과 손잡은 강대국들인 영국, 미국 등에 테러 행위를 하는 무장 단체가 조직되기 시작했다. 제2차 아랍 · 이스라엘 전쟁(1956)은 이집트에서 혁명이 일어나 나세르 대통령(1918~1970)이 수에즈 운하에 대한 국유화 선언을 한 것이 계기가 되었다. 이스라엘 선박들이 수에즈 운하를 통과하는 것을 막자, 이스라엘은 물론 그동안 수에즈 운하를 통하여 막대한 이득을 취했던 영국, 프랑스가 합세하여 아랍과 전쟁을 벌였다. 강대국들의 치졸함을 여지없이 보여 준 전쟁이었다.

1964년에 아랍인들은 아라파트 의장(1929~2004)을 중심으로 팔레스타인해방기구(PLO)를 발족시키고 이스라엘에 대한 무장 테러 활동에 들어갔다. 시리아는 게릴라를 양성하는 온상이 되었다. 제3차 아랍·이스라엘 전쟁(1967)은 테러 기지가 된 시리아에 이스라엘이 대규모 공격을 하자, 이집트의 나세르 대통령이 대군을 동원하여 맞불을 놓으면서 일어났다. 이 전쟁을 '6일 전쟁'이라고도 하는데 이스라엘이 단 6일 만에 승리했기 때문이다. 이 전쟁에서 이스라엘은 골란고원과 시나이반도의 반을 차지하면서 영토를 4배 이상 확장했다. 이스라엘 건국 당시 수도는 텔아비브였지만 그들은 이때부터 줄곧 유대교와 크리스트교와 이슬람교의 성지인 예루살렘을 수도라고 주장했다. 국제 연합이 1947년에 어느 국가도 예루살렘을 수도로 지정해서는 안 된다고 결정했는데도 말이다. 1973년에는 제4차 이스라엘·아랍 전쟁이 발발했는데 이때만큼은 이집트와 시리아 연합군이 여러 곳에서 승리를 거뒀다. 그러나 곧 이스라엘의 반격이 시작되었고, 한 달도 되지 않아 미국과 소련 및 유엔의 중재로 정전이 되었다.

뒤이어 아랍 국가들은 이스라엘을 응징하기 위해 석유수출기구(OPEC)의 석유 동결 조치를 단행했는데, 바로 이스라엘 지원국에 대한 석유 수출 금지와 산유량 20% 감소, 그리고 유가 인상 조치였다. 전 세계에 석유 파동이 일어났고 그 여파는 매우 컸다. 자원 민족주의에 의해 자원이 전쟁의 무서운 무기가 될 수 있음을 알려 주는 사건이었다.

제4차 아랍·이스라엘 전쟁의 결과만 놓고 보면 역시 이스라엘의 일방적인 승리라고도 볼 수 있다. 아랍 측이 2,300대의 전차를 상실한 것에 비해 이스라엘은 200대를 잃은 것에 그쳤고, 475대의 항공기를 격추당한 아랍에 비해서 이스라엘은 115대 정도였기 때문이다.

전쟁 이후 팔레스타인 사람들은 민중 봉기를 뜻하는 '인티파다(Intifada)'를 일으켜 이스라엘에 저항했고 그럴 때마다 많은 희생자가 나왔다. 이후 미국이 적극적으로 나서서 여러 차례 비밀 협약을 가진 끝에 1979년, 마침내 미국 카터 대통령(1924~ )의 중재로 이집트의 사다트 대통령(1918~1981)과 이스라엘의 베긴 수상(1913~1992) 간에 캠프 데이비드 협정의 평화 조약이 조인되었다. 팔레스타인은 아라파트가 이끄는 팔레스타인해방기구를 중심으로 1988년 11월에 독립을 선포했지만 유엔 등 국제 사회의 인정은 받지 못했다. 그러다가 1993년에 이스라엘-팔레스타인 오슬로 협정이 체결되어 팔레스타인 지역의 자치가 합의되었다. 하지만 하마스를 비롯한 팔레스타인 무장 조직들은 이스라엘의 존재를 인정할 수 없다면서 테러를 일으켰다. 여기에 이스라엘과 팔레스타인 자치 정부 역시 이스라엘의 탄압으로 팔레스타인을 떠났던 수백만 명의 난민 귀환 문제를 해결하지 못해 결국 평화 협정은 깨지고 말았다.

한편 팔레스타인 자치 정부는 2011년에 유엔 기구 중에서 유네스코의 정식 회원국으로 인정받았다. 그러자 미국은 이를 막기 위해 그동

» 2023년 10월 9일, 이스라엘의 폭격으로 완전히 파괴된 가자 지구 엘-레말 지역의 모습이다(출처: 위키미디어 커먼즈). «

안 유네스코에 내던 막대한 후원금을 중단한다는 선언을 한다. 하지만 흐르는 물을 억지로 막을 수는 없기에, 2012년 11월 29일 팔레스타인은 마침내 유엔 총회의 옵서버 국가 지위를 획득했다. 당연하게도 이스라엘의 반발은 컸다. 이스라엘은 팔레스타인 내에 유대인 정착촌을 확대하는가 하면, 심지어 오슬로 협정에 의해 팔레스타인 정부에 보내기로 했던 팔레스타인에서 걷은 세금의 송금을 중단해 버렸다. 현재 팔레스타인 지역은 팔레스타인 자치 정부 지역인 서안 지구와 지중해

연안 남서쪽에 위치한 가자 지구로 나뉘어 있다. 가자 지구는 2006년 무장 정파인 하마스가 총선에서 승리한 후 시리아 등 아랍 국가들의 지원을 받으면서 이스라엘과 첨예하게 대치하고 있었다. 가자 지구에서 하마스가 로켓을 장벽 너머 이스라엘 쪽으로 발사하면 이스라엘이 서안 지구 난민촌을 수색하여 테러 분자로 의심되는 사람들을 죽여 버리는 일들이 반복되고 있었다. 그러다가 제4차 아랍 · 이스라엘 전쟁이 일어난 지 50여 년 만인 2023년에 다시 큰 전쟁이 일어나고 말았다. 시한폭탄 같은 지역에서 정말 폭탄이 터져 버린 것이다. 국제 사회의 노력으로 하루 빨리 분쟁이 종식되어 팔레스타인 지역에 평화가 찾아오기를 모두가 한마음으로 간절히 바라고 있다.

## ‘지붕 없는 감옥’을 만든 이스라엘의 분리 장벽

이스라엘은 2002년부터 서안 지구를 완전히 고립시키는 총연장 730km에 달하는 거대한 분리 장벽을 쌓기 시작했다. 팔레스타인 무장 단체의 자살 폭탄 테러 등에서 자국민을 보호하겠다는 것이었다. 높이 5m부터 일부는 9m에 달하는 장벽은 콘크리트로 만들어졌고 철조망, 전기 감지기, 2차선 순찰 도로가 가설되었다. 팔레스타인 사람들의 삶은 학교와 집, 병원, 직장으로 가는 길이 분리되고 조각조각 파괴되어 있어 불편이 이만저만이 아니다. 결국 2004년에 견디다 못한 팔레스타인 사람들은 국제 사법 재판소에 이 분리 장벽의 적법 여부를 판결해 달라고 제소했다. 결과는 이스라엘이 팔레스타인 사람들의 인권을 과도하게 침해하고 있으

» 팔레스타인 칼킬리야주에 세워진 분리 장벽 내 철조망을 지키고 있는 이스라엘 군인들, 그리고 농로를 통과하기 위해 기다리고 있는 팔레스타인 사람들(출처: 위키피디아) «

므로 철거해야 한다는 판결이었다. 2004년에 열린 유엔 총회의 결의도 같았다. 유엔 총회 결의안은 150개국의 찬성과 6개국의 반대표가 나왔는데, 반대한 6표 중에 이스라엘은 물론이고 미국이 있었다. 미국을 움직이는 거대한 부와 권력을 유대인들이 쥐고 있기 때문이다.

이 같은 결과에도 이스라엘은 분리 장벽 철거를 전혀 이행하지 않았다. 오히려 이스라엘은 가자 지구를 완전히 고립시켰다. 가자 지구와 인접한 지하에는 길이 65km의 지하 장벽을 만들었고, 바다에는 이스라엘 도시 지킴의 해안에서 지중해로 200m나 뻗어나간 바다 장벽을 쌓았다. 바다 위에 50m 정도 돌무더기를 쌓은 후 그 위로 6m 높이의 철조망과 수많은 카메라와 레이더, 미세한 떨림도 감지하는 지진 감지기까지 설치한 것이다. 바다 장벽의 완성으로 가자 지구는 하늘길을 제외하고 모든 통로가 막힌 '지붕 없는 감옥'이 되었다.

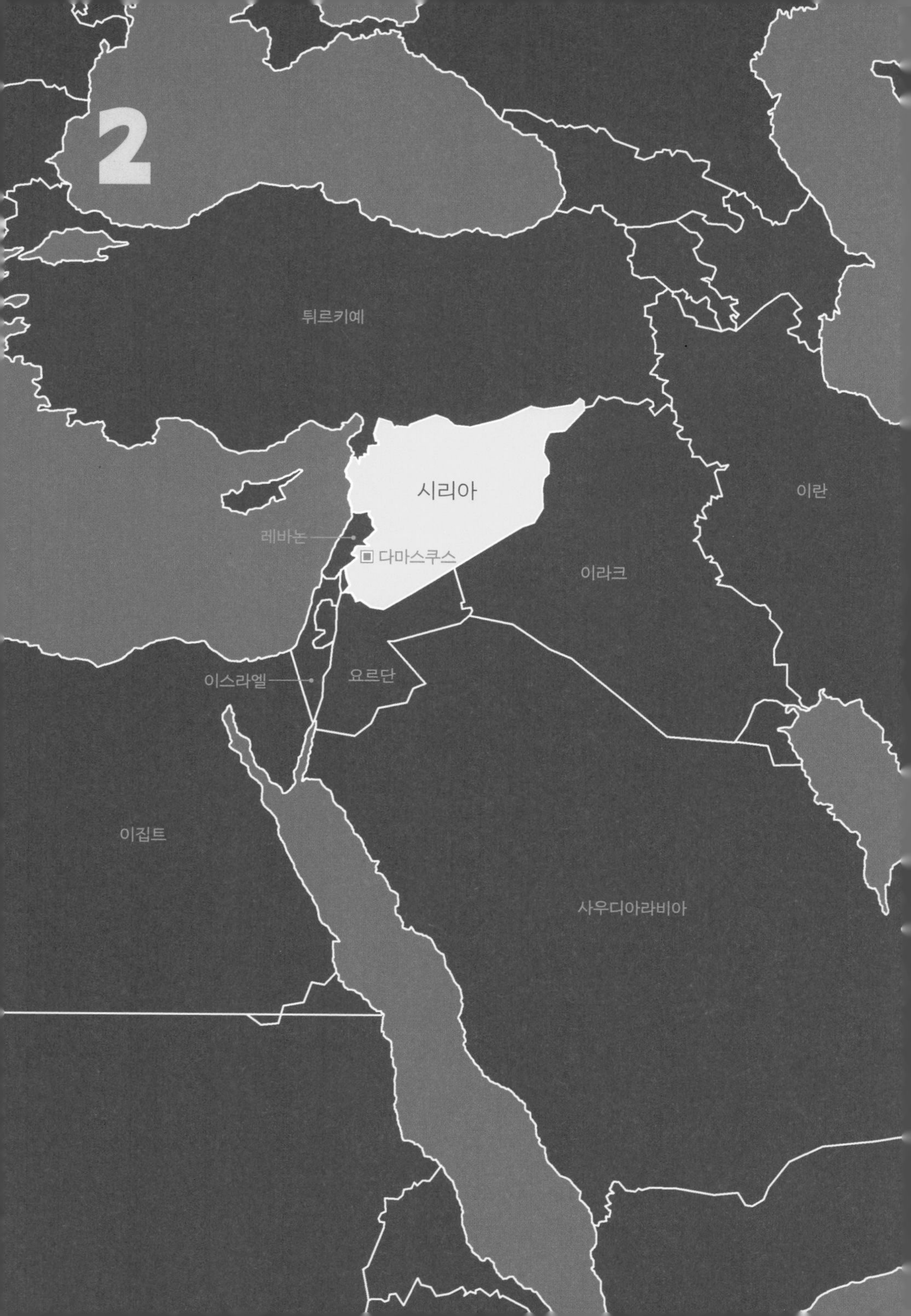

2
튀르키예
시리아
이란
레바논
다마스쿠스
이라크
이스라엘
요르단
이집트
사우디아라비아

# 시리아 내전이 초래한 수백만 난민들의 비극

🌐 시리아 내전 연표

2011 시리아 다라에서 반정부 시위 시작
2012 시리아 정부군과 반군, 전면전 시작
2014 이슬람 국가(IS) 수립 선포
2017 시리아민주군(SDF), IS 수도 라카 장악
2018 시리아 정부군, 반군 지역 다라 등 탈환

그때 우리는

2014 세월호 참사(4.16)
2016 박근혜 대통령 탄핵 및 촛불 혁명
2017 문재인 제19대 대통령 당선
2018 남북정상회담과 판문점 선언
문재인 대통령 평양 방문
평창 동계 올림픽 개최

*한 사진작가가 내전을 피해 캠프에 들어온 시리아 난민 어린이의 사진을 찍기 위해 카메라를 들었다. 그러자 공포에 질린 어린아이가 울상이 되어 손을 번쩍 들었다. 너무도 많은 총격을 보아 왔던 아이는 카메라를 총기로 착각한 것이다. 이 한 장의 사진은 트위터를 통해 세상에 알려졌고 이를 본 수많은 사람들의 마음을 아프게 했다. 이 여자아이의 이름은 '후데아(Hudea)'로, 4살이었다. 후데아는 2012년에 있었던 200여 명이 숨진 시리아 하마 학살 사건에서 아빠를 잃은 후 엄마와 함께 아트멘 난민촌에 살고 있다.*

## 시리아 내전의 방아쇠를 당긴
## 한 소년의 죽음

시리아는 지중해 서부 해안에 위치한 국가다. 북쪽은 튀르키예, 남쪽은 요르단, 동쪽은 이라크, 서쪽은 레바논과 이스라엘에 국경이 맞닿아 있다. 프랑스 식민지였다가 1946년에 독립을 한 후 친소련(현 러시아) 사회주의 공화국이 되었다. 대부분의 시리아 국민들이 믿는 이슬람교는 크게 수니파와 시아파로 나뉘는데, 시아파 중에서도 매우 급진적인 알라위파에 속한 알 아사드 가문이 2대에 걸쳐 시리아를 통치하고 있다. 시리아 내전이 일어나게 된 것은 현재 시리아의 대통령으로 있는 바샤르 알 아사드(1965~ ) 때문이다. 그는 사망한 아버지의 뒤를 이어 2000년에 지지율 97%로 시리아 대통령에 당선되었다. 시리아 대통령 임기는 7년인데 알 아사드 대통령은 2007년, 2014년, 2021년의 대통령 선거 때마다 압도적인 지지를 얻어 수십 년간 독재를 이어가고 있다. 그가 정치를 잘하기 때문이 아니라 '무카바라트(Al-Mukhabarat)'라는 비밀 사복경찰을 두어 자신이나 정부를 비판하는 사람을 잡아들여 지독한 고문으로 죽이는 등 강압적으로 반대 여론을 억누른 탓이다. 미국의 〈워싱턴포스트〉는 그를 세계 최악의 독재자 12위로 선정하기도 했다.

그럼 시리아 내전이 왜 일어났으며 그 책임이 왜 알 아사드 대통령에 있다는 것인지 알아보자. 2011년 당시 서아시아에는 '아랍의 봄'으로 부르는 민주화 시위가 퍼져나가고 있었다. 이런 정치적 분위기에 동조한 10대 학생들이 정부를 비판하는 낙서를 담벼락에 썼는데, 정부가 이 학생들을 붙잡아 무자비하게 고문을 하고 그들의 석방을 요구하는 시민들에게 가차 없이 발포를 한 것이 그 계기였다. 여기에 항거하는 반정부 민주화 시위가 벌어지는 가운데, 시리아 남부 다라 부근의 시골 마을에서 내전으로 발전하는 결정적인 사건이 일어났다. 마을에 살던 13살 소년 함자 알카티브가 주민들과 함께 시위를 하다가 실종된 것이다. 사방으로 그의 행방을 수소문했지만 찾을 수 없었다. 그로부터 한 달 뒤, 알카티브의 시신이 발견되었는데 갖은 고문을 받은 흔적이 역력했고 어린 몸을 뚫고 지나간 총탄 자국 등 차마 눈을 뜨고 볼 수 없는 참혹한 모습이었다. 이 소년의 죽음은 시리아 내전에 기름을 부었다. 그래서 다라를 '혁명의 요람'이라고 부른다.

분노한 시민들은 "우리 모두가 함자 알카티브(We Are ALL Hamza Al-khateeb)"라는 이름으로 추모 사이트를 열었고 여기에 함자를 추모하고 정부를 비난하는 글 수만 건이 올라왔다. 긴장한 시리아 정부는 회유책으로 정치범 500여 명을 석방하고 야권을 포함한 '국민대화위원회'를 출범시켰지만 반정부 시위는 걷잡을 수 없이 커졌다. 그러자 시리아 정부는 반정부 시위를 탄압하기 위해 약 6,000명의 병사와 저격수를 전차와 함께 동원하여 시위 군중을 향해 발포하고 상수도와 전력, 전화 회선을 끊어 버렸다. 참으로 무자비한 조치였다. 분노한 시민들은 정부군에 맞서 무장 세력을 조직하기 시작했다. 당시 미국 대통령은 버락 오바마(1961~ )였는데, 시리아 시민들이 서방 기자들에게 이런 말을 했다고 전해진다.

"시리아를 오바마에게 점령시켜라. 시리아를 이스라엘에 점령시켜라. 유대인을 불러라. 모두 바샤르 알 아사드보다는 낫다."

시리아는 사회주의 공화국이고 미국과 이스라엘은 자신들과 적대 관계에 있는 국가이다. 그런데도 이렇게 말했다는 것은 알 아사드가 얼마나 혹독한 정치를 했는지를 잘 알려준다.

## 내전으로 시작해 세계 평화를 위협하게 된 시리아 내전

시리아 내전 기간 동안 화학 가스를 무차별로 사용한 알 아사드 정권은 국제 사회에서 추방되었다. 그러자 악마의 씨앗들이 시리아에 뿌리를 내리기 시작했다. 대표적인 집단으로 무자비하게 문화재를 파괴하고 사람들을 잔혹하게 살상하는 극단적 무장 단체인 이슬람 국가(IS, Islamic State)를 들 수 있다. IS는 수니파로, 이슬람교가 창시되었던 당시로 돌아가자고 주장하는 사람들이다. 매우 엄격한 율법으로 사람들을 통치하면서 공개 처형, 참수(칼로 목을 베는 사형), 납치, 테러와 살상, 문화재 파괴 등을 일삼았다.

그러자 사회주의 공화국인 시리아를 지원하기 위해 같은 사회주의 국가인 러시아가 개입하기 시작했다. 러시아는 극단적인 테러를 일삼는 IS를 응징한다면서 반군이 장악하고 있는 지역에 하루에 20~25차례 집중 공습을 하고 지상군도 투입했다. 반면 미국은 러시아를 견제하기 위해 시리아 반군을 지원했다. 그렇지만 버락 오바마 대통령 재임 시기에는 드러내놓고 시리아 정부군을 공격하지는 않았다. 시리아 북동부를 근거지로 하는 자치 정부와 무장 단체인 시리아 민주군(SDF)에게 무기와 자금, 군수품을 지원하는 정도였다. 그러다가 미국 대통령이 도널드 트럼프 대통령(1946~ )으로 바뀌었고, 시리아 정부군이 화학 무기를 사용하자 미국은 시리아 정부군의 공군 비행장을 공습했다. 미군은 화학 무기를 살포하는 시리아 전투기들이 이륙하는 알샤이라트 공군 비행장을 향해 60~70발의 토마호크 크루거 미사일을 퍼부었다. 이후 미국은 더욱 적극적으로 공격하여 시리아에서 화학 무기를 생산하는 시설을 파괴했는데 영국, 프랑스와 합동 폭격을 감행하기도 했다.

한편 시리아 내전에 무척 민감한 국가들이 있다. 국경을 맞대고 있는 튀르키예와 이스라엘이다. 내전이 일어나기 전부터 튀르키예는 시리아와 사이가 좋지 못했다. 특히 시리아 영토 내에서 자치를 누리고 있는 쿠르드족의 동향에 매우 민감했다. 왜냐하면 튀르키예에 살고 있는 쿠르드족까지 동요하여 독립을 하겠다고 주장할 수 있기 때문이다.

반면 미국은 쿠르드 민병대의 도움을 받아 테러와 살상을 저지르고 있는 IS를 무너트릴 생각이어서 쿠르드 민병대와 사이가 좋았다. 그렇다 보니 시리아 내전 동안 미국과 튀르키예는 둘 다 시리아 정부에 맞서는 반군을 지원하면서도, 쿠르드족에 대한 문제로 서늘한 긴장감이 돌았다.

이스라엘은 네 차례에 걸쳐서 발생한 아랍·이스라엘 전쟁의 앙금이 남아 있는 터라, 시리아는 물론 같은 시아파로서 시리아를 아낌없이 지원하는 이란에도 적대심을 갖고 있었다. 시리아 내전이 일어나자 이스라엘은 이란 민병대를 향해 공습과 미사일 공격을 여러 차례 시행했다. 시리아 정부군과 시리아 반군이 시리아 국경을 넘어 레바논 지역까지 전투 지역을 확대했기 때문에 레바논 정부군도 이들과 전투를 벌이게 되었다. 한마디로 시리아 내전은 말이 내전이지 주변국들이 직접적 혹은 간접적으로 개입하여 국제전 양상으로 발전한 전쟁이라고 할 수 있다. 그중에는 핵을 보유한 나라들이 있기 때문에 시리아 내전을 지켜보는 유엔 등 국제 사회는 초긴장 상태였다.

알 아사드 대통령은 2014년부터 시리아 북부를 근거지로 활동하는 IS를 예로 들어 시리아 정부가 무너지면 시리아는 IS의 근거지가 될 것이라고 주장하며 반군을 지원하는 미국과 서방 세계를 위협했다. IS 섬멸을 위해 서방 세계가 반군 지원에 주춤한 사이, 시리아 정부군이 승세를 잡았다. 2023년에 대량 살상 무기 사용으로 국제 사회에서 추방되었던 '시리아의 학살자' 알 아사드는 22개국이 회원국으로 있는 '아랍 연맹(AL)' 정상 회의에 정식으로 초청되었다. 2012년부터 시리아와 국교를 단절하고 시리아 반군을 지원해 왔던 사우디아라비아가 이란과의 국교 재개를 계기로 이란의 동맹국인 시리아도 초청한 것이다. 독재와 학살, 대량 살상무기 살포자이자 수백만 명의 난민을 만든 알 아사드 대통령은 미소를 지으며 회의에 참석했다. 새로운 동맹을 위해 과거의 끔찍한 범죄 행위를 없던 일처럼 대하는 국제 외교는 참으로 비정한 세계가 아닐 수 없다.

## 고국을 떠난 수백만의 난민들과 파괴된 문화재

알 아사드 대통령은 내전에서 승리하기 위해 국제법으로 금지된 대량 살상 폭탄과 사린 가스라는 화학 무기를 사용하여 시리아 국민을 고통 속에 죽게 만들었다. 또 IS가 전쟁의 두려움을 없애기 위해 생산한 '전투 마약' 캡타곤의 유통과 생산에 깊숙이 관여하여 이윤을 얻었다. 사린 가스는 액체와 기체로 되어 있는데 이 가스에 노출되면 수 분 내에 목숨을 잃는다. 알 아사드 정권은 2018년에도 화학 가스를 전투기와 헬리콥터를 통해 살포했다. 그중에는 사린 가스뿐만 아니라 피부가 타 버리는 염소 가스도 있었다. 시리아에서 활동하는 미국의 비영리

단체 시리아미국의료협회(SAMS)가 사건 현장으로 달려가 조사를 해 보니, 희생자 대부분이 여성과 어린이인데 피부가 푸른색을 띠는 청색증과 각막의 염증, 구강 내 거품을 품고 있었다. 사린 가스에 노출된 이들 중 많은 사람이 시력을 잃었다. 시리아 내전 동안 무고한 시민들이 희생양이 되어 약 50만여 명이 사망했다. 세계사에서 시리아 내전은 21세기에 발생한 전쟁 중 두 번째로 많은 인명 피해를 낳은 전쟁으로 기록되었다(첫 번째는 400만 명이 내전으로 사망한 제2차 콩고 전쟁(1998~2003)이다).

이렇게 시리아에 남아 있으면 죽거나 평생을 안고 살아야 하는 큰 장애를 입으니, 사람들은 살아남기 위해 시리아를 탈출하기 시작했다. 시리아 국민은 죽음을 무릅쓰고 국경을 맞대고 있는 튀르키예, 레바논, 요르단으로 탈출한 후 발칸반도에서 유럽 전역으로 흩어졌다. 해외로 도피한 난민은 550만여 명에 이르고 국경을 넘지는 못했지만 국경 근처에서 떠도는 난민은 600만여 명으로 추산되고 있다. 시리아 전체 인구가 2,200만 명이니 국민의 반 이상이 나라를 떠난 것이다. 그러자 유럽 국가들은 당황했다. 시리아 난민들이 머물고 있는 난민촌의 비위생적인 환경에 전염병이 유행할 것이 걱정되었고, 난민들이 매우 낮은 임금으로 취업하면서 유럽인 노동자의 일자리를 빼앗았기 때문이다. 유럽 국가 중 난민을 가장 많이 받아들인 나라는 독일인데, 독일에 정착한 시리아 난민은 50만여 명이 넘었다.

» 2015년의 IS 공격으로 파괴되기 전, 팔미라 제국의 바알샤민 신전의 모습
(출처: 위키미디어 커먼스) «

시리아 내전이 13년 이상 계속되면서 문화재 수난사도 이어졌다. BC 2500년에 세워진 시리아의 수도 다마스쿠스는 구약성서에도 기록되어 있는 세계에서 가장 오래된 도시이다. 다사다난한 역사를 갖고 있는 시리아는 찬란한 문화유산 역시 소유하고 있다. 피라미드로 유명한 이집트, 서아시아를 최초로 통일한 아시리아, 메소포타미아 지역을 통일한 바빌로니아, 세계 최초 철제 무기를 사용한 히타이트, 아테네

를 비롯한 고대 그리스와의 전쟁으로 유명한 아케메네스 페르시아, 페르시아를 멸망시킨 알렉산드로스 대왕과 그의 부하가 세운 셀레우코스 왕조를 거쳐 로마 제국의 속주로 지내며 쌓인 문화유산들이다. 그뿐이 아니다. 이슬람 제국 때는 유럽의 이베리아반도(현재의 스페인 지역)를 정복했던 우마이야 왕조의 수도이기도 했다. 동서 문명의 교차로에 위치하여 각 시대의 빛나는 문명을 보존하고 있던 지역이다. 특히 그중에서 고대 도시 팔미라는 제노비아라는 강력한 여왕이 통치했는데 한때 이집트까지 정복하기도 했다. '아라비아의 클레오파트라'로 불리었던 제노비아의 이름은 현대에 각종 여성 제품의 이름으로 사용되고 있을 정도다. 그러나 세계 문화유산에 등재된 팔미라 유적을 비롯하여 수많은 문화재가 오랜 시리아 내전으로 파괴되어 이제는 존재하지 않게 되었다. 시리아 일부 지역을 근거지로 삼아 세력을 넓혔던 IS가 고대 팔미라 유적을 폭파시켜 버렸기 때문이다. 전쟁과 내전이 가져온 뼈아픈 손실이다.

시리아 내전은 아직 종식되지 않았다. 이스라엘·하마스 전쟁을 틈타 IS의 잔여 세력들이 곳곳에서 테러를 일으키고 있기 때문이다. 2024년 4월에도 IS의 공격으로 시리아 수도 다마스쿠스 외곽에서 친정부 무장 세력 20명이 숨지기도 했다. 영국에 있는 시리아 내전 감시단체 시리아인권관측소에 의하면, 2023년에 시리아 내전으로 약 4,360명이 사망했다고 한다. 이 숫자에는 여성 241명과 어린이 307명

등 민간인 1,889명이 포함되어 있다. 하루빨리 내전이 끝을 맺어 문명의 보고 시리아에 평화가 찾아오고 어린이와 청소년의 얼굴에 환한 미소가 가득하기를 바랄 뿐이다.

## 서아시아에 불어온 민주화의 거침없는 봄바람, '아랍의 봄'

시리아 내전을 촉발시킨 '아랍의 봄'에 대해 알아보자. 아랍의 봄은 아프리카 북부에 있는 이슬람 국가 튀니지에서 시작되었다. 2010년 12월, 튀니지 남동부의 지방 도시 시디 부지드 거리에서 대학 졸업 후에도 취직이 어려워 노점상을 하던 20대

» 2011년 1월 14일에 튀니지의 수도인
튀니스 중심가에서 일어난 시위 당시의 모습(출처: 위키피디아) «

청년 무함마드 부아지지가 경찰의 과잉 단속에 항의하며 지방정부 청사 앞에서 분신자살을 했다. 이 소식을 들은 청년층은 분노했고 그동안 쌓였던 장기 집권과 부정부패, 정부의 탄압과 어려운 경제에 대한 불만이 터져 나와 전국적인 시위로 발전했다. 정부군의 발포로 수천 명의 사상자가 나왔지만 튀니지 민중들의 항거는 꺾지 못했다. 결국 23년 동안 철권 통치를 이어오던 튀니지 대통령 지네 엘아비디네 벤 알리(1936~2019)는 시위 발생 1년 만에 사우디아라비아로 망명했다. 서방 언론은 이 혁명을 튀니지에서 흔히 볼 수 있는 꽃의 이름을 붙여 '재스민 혁명'으로 불렀다. 이후 튀니지 혁명의 영향으로 비슷한 독재와 장기 집권이 이루어지고 있던 알제리, 예멘, 요르단, 시리아, 이라크, 쿠웨이트, 리비아 등에서 민주화 시위가 확산되면서 독재자들이 줄줄이 퇴진한다. 이것을 아랍 세계에 불어온 봄이라 하여 '아랍의 봄'이라고 부르게 되었다.

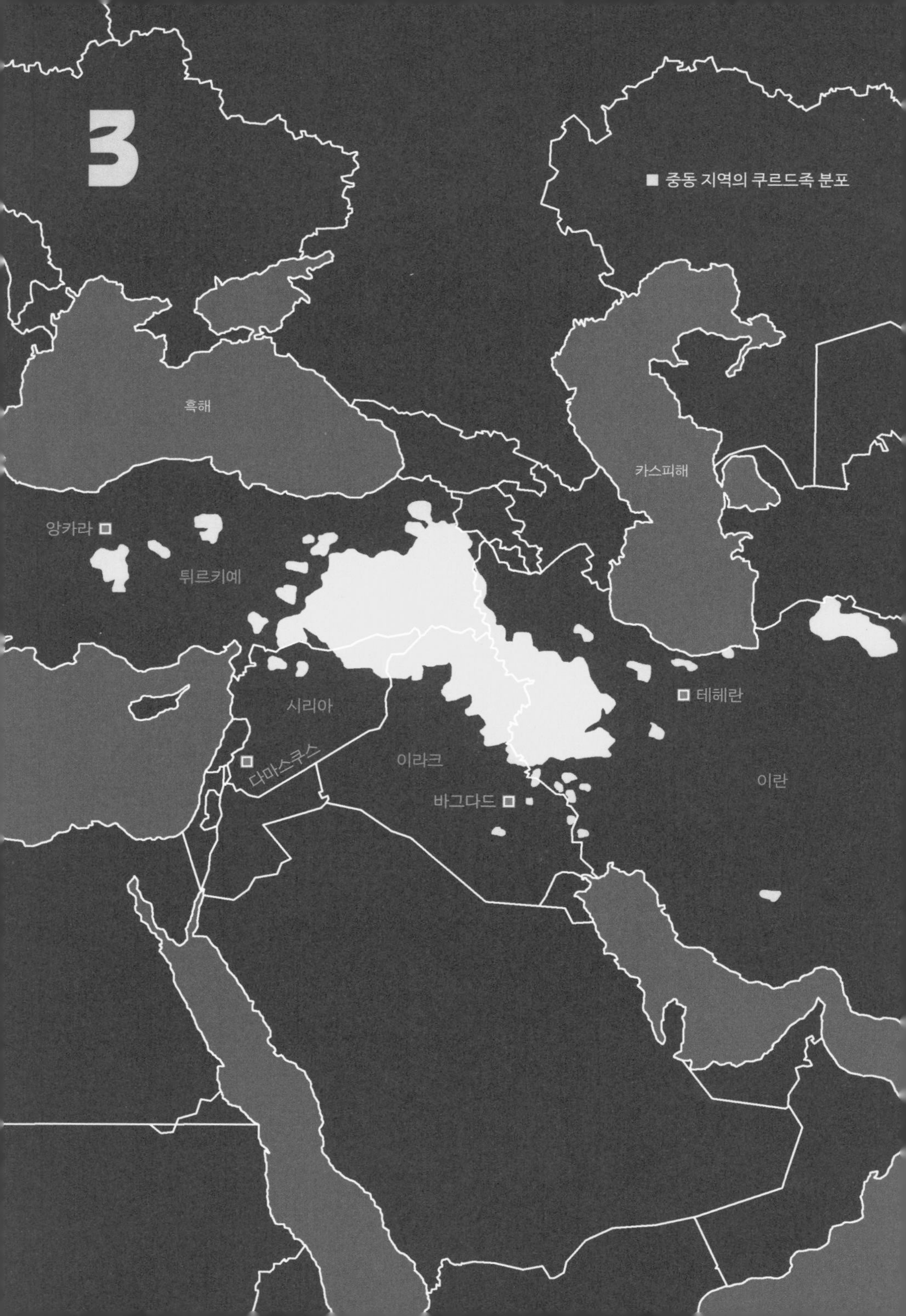
3
■ 중동 지역의 쿠르드족 분포
흑해
카스피해
앙카라
튀르키예
시리아
다마스쿠스
이라크
바그다드
테헤란
이란

# 주변국들의 반대 속에 독립을 위해 투쟁하는 쿠르드족

쿠르드족 관련 연표

1922 쿠르드족, 쿠르디스탄 왕국(~1924) 건립
1923 튀르키예 공화국 수립
2013 시리아 쿠르드족의 로자바 혁명
2019 튀르키예 등의 무차별 공격으로 쿠르드족 대규모 난민 발생

그때 우리는

1923 물산장려운동
1988 88 서울 올림픽 개최
2013 박근혜 정부 출범
2019 판문점에서 남북미 3국 정상 회담 개최

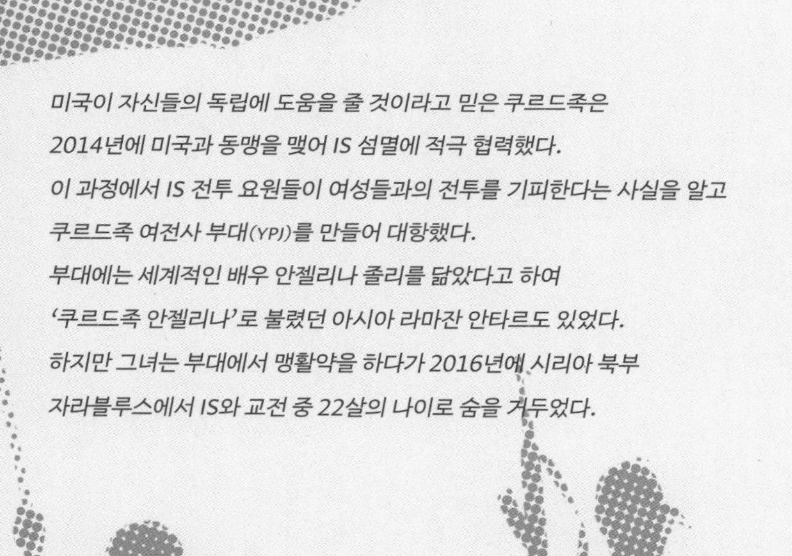

*미국이 자신들의 독립에 도움을 줄 것이라고 믿은 쿠르드족은*
*2014년에 미국과 동맹을 맺어 IS 섬멸에 적극 협력했다.*
*이 과정에서 IS 전투 요원들이 여성들과의 전투를 기피한다는 사실을 알고*
*쿠르드족 여전사 부대(YPJ)를 만들어 대항했다.*
*부대에는 세계적인 배우 안젤리나 졸리를 닮았다고 하여*
*'쿠르드족 안젤리나'로 불렸던 아시아 라마잔 안타르도 있었다.*
*하지만 그녀는 부대에서 맹활약을 하다가 2016년에 시리아 북부*
*자라블루스에서 IS와 교전 중 22살의 나이로 숨을 거두었다.*

# 수천 년 동안 나라 없는 설움을 안고 흩어져 살아온 쿠르드족

쿠르드족은 서아시아 지역에서 아랍인, 페르시아인, 튀르크인에 이어 4번째로 인구가 많은 민족이다. 현재까지 약 4,560만 명의 쿠르드족이 수천 년 동안 전통을 이어 오고 있다. 쿠르드족의 이름은 그들이 유목 생활을 하고 살았던 지역인 쿠르디스탄(Kurdistan)에서 유래했다. 쿠르디스탄은 아나톨리아반도와 서아시아에 걸친 광범위한 산악 지역이다. 산악 부족인 쿠르드족은 용맹하고 싸움도 잘하는 민족이다.

국가적 영토로 보면 튀르키예 남동부, 시리아 북동부, 이란 북서부, 이라크 북동부에 해당하는데, 쿠르드족의 24%에 달하는 인구가 튀르키예에 살고 있다. 그 다음으로 많이 거주하는 나라로 이라크에 22%, 이란에도 11%, 그리고 시리아에 약 9.5%의 쿠르드족이 살고 있다. 이들이 처음 역사에 등장한 때는 약 5,000년 전이다. 비옥한 초생달 지역에서 메소포타미아 문명을 일으킨 수메르인들의 점토판에 이들을 지칭하는 용어가 새겨져 있다. 쿠르드족은 문명 수준도 높아 기원전 7세기에 달력을 사용했다. 부족 간의 평화를 소중히 여기고 노예를 거느리지 않는 전통도 갖고 있다.

AD 7세기, 쿠르드족에 큰 변화가 일어난다. 7세기는 서아시아에서 무함마드가 이슬람교를 창시한 때로, 이 시기에 쿠르드족은 이슬람 제국의 통치를 받지 않으려고 반란을 일으켰다가 진압되었고 이슬람 제국 우마이야 왕조의 지배를 받으면서 이슬람교로 개종하게 된다. 쿠르드족은 용맹하고 행동이 민첩하여 이슬람 제국에서 군인으로 등용되어 귀족 계급으로 살았다. 이슬람 제국 이후에는 이란 지역의 강자인 사파비 왕조의 지배를 받기도 했다. 사파비 왕조의 왕을 '샤'라고 하는데, 샤의 아버지 쪽 혈통에 쿠르드족이 있어서 그들은 비교적 안정적으로 살 수 있었다.

그러나 서아시아 지역의 패권이 오스만 제국에게 넘어가면서 쿠르드족은 오스만 제국의 지배를 받게 된다. 이후 오스만 제국이 제1차 세계 대전에서 독일과 손을 잡았다가 패전국이 되자 쿠르드족에게 독립의 희망이 생겼다. 연합국이 오스만 제국과 세브르 조약(1920)을 맺으며 오스만 제국 대부분의 영토를 몰수한 후 주변 나라에 분할하기로 한 것이다. 쿠르드족도 드디어 오스만 제국의 동부 지역 영토를 받게 되어 곧 독립한다는 것에 기뻐했다. 그런데 이 기쁨은 곧 실망으로 바뀌고 만다. 그리스가 더 많은 영토를 차지하려고 오스만 제국과 싸우다가 그 유명한 오스만 제국의 국부이자 영웅인 무스타파 케말(1881~1938)의 지휘를 받는 튀르키예군에게 대패를 했기 때문이다. 기세를 몰아 무스타파 케말은 오스만 제국을 종식시키고(1922), 연합국에게 조약을 다시 체결해 달라고 당당히 요구했다. 연합국은 튀르키예의 요청을 받아들여 로잔 조약(1923)을 맺은 후 찢기고 분열된 옛 오스만 제국의 영토를 다시 튀르키예에 돌려주기로 한다. 그러자 무스타파 케말은 튀르키예 공화국을 선포했다(1923). 이 과정에서 쿠르드족은 쓰라린 아픔을 겪게 되었다. 그들이 받기로 했던 오스만 제국의 동부 영토가 다시 튀르키예의 영토가 되었기 때문이다.

한편 제1차 세계 대전이 끝나고 오늘날 이라크가 있는 지역에 살던 쿠르드족은 영국이 위임 통치하던 지역에서 독립을 선포하고 쿠르디스탄 왕국(1922)을 세웠다. 하지만 이 왕국은 단 2년만인 1924년에 영국군에 의해 멸망했다. 그런 일은 또 있었다. 로잔 조약이 발효된 후에도 독립을 포기하지 않았던 튀르키예 동부 지역의 쿠르드족이 1927년에 아라라트 쿠르드 공화국을 선포했지만, 역시 몇 년 가지 못하고 1930년에 튀르키예에 의해 무너지고 말았다. 비록 짧은 기간이었지만 이를 통해 쿠르드인들은 독립이 얼마나 소중하며 쿠르드족이 반드시 이루어내야 할 꿈임을 확실히 깨달았다.

## 쿠르드족의 독립을 막고 탄압하는 튀르키예와 서아시아 국가들

쿠르드족의 독립을 가장 경계하는 국가가 있다. 튀르키예다. 튀르키예 인구의 24%가 쿠르드족이기 때문에 만약 쿠르드족이 독립 국가를 이루면 영토가 축소되고 막대한 국가적·경제적 손실을 입기 때문이다.

튀르키예는 공화국으로 독립한 이후부터 현재까지 쿠르드족에 노골적인 탄압을 자행해 왔다. 1970년대에는 튀르키예에 의해 쿠르드족의 지식인, 언론인, 지도자 수천 명이 실종되어 유럽인권재판소가 튀르키예의 인권 탄압에 대해 규탄 성명을 발표했다. 마치 일제 강점기에 우리나라 독립투사들이 고문당하고 감옥에 갇혀 끝내 처형당했던 역사와도 같다. 튀르키예는 쿠르드족을 잔인하게 고문하고 원치 않는 강제 이주를 시켰고, 마을에 대한 조직적인 파괴도 일삼았다.

시리아 내전이 일어나자 2012년 7월, 쿠르드족은 시리아 북동쪽 끝에 있는 안디와르에서 북서쪽 끝에 있는 진디레스까지 점령에 성공했다. 2013년에는 로자바 혁명을 일으켜 자치 정부를 수립했다. 쿠르드족은 로자바에서 그들이 전통적으로 지켜 왔던 평등한 사회를 수립했다. 민주주의적인 선거를 통해 의회를 개설하고 여성의 권리와 인권을 존중하는 바람직한 민주 사회를 건설한 것이다. 하지만 그들을 바라보는 주변국들의 시선은 매우 따가웠다. 민주주의 바람이 자국에까지 불어닥칠까 봐 몸을 잔뜩 움츠렸다. 특히 조바심이 난 튀르키예는 시리아 정부군을 지원하는 러시아에게 국경 지대에 완충 지대를 설치하라고 요구했다. 시리아와 튀르키예 국경 사이에 길이 115km에 달하는 완충 지대를 만들어서 자치 정부를 이룬 시리아의 쿠르드족과 튀르키예의 쿠르드족이 서로 접촉하는 것을 완전히 차단하려고 한 것이다. 러시아는 튀르키예의 요구를 들어주었다.

한편 쿠르드족 민병대가 미군의 지원을 받아 IS와 격렬한 싸움을 전개한 끝에, IS는 소멸의 길을 걸었다. 이에 쿠르드족의 군사력 역시 타격을 입자 튀르키예군은 쿠르드족의 분리 독립을 막기 위한 군사 작전을 개시하여 2018년에만 15만~20만 명에 달하는 쿠르드족의 터전을 파괴했다. 그뿐만이 아니다. 2019년에도 튀르키예와 시리아의 임시 정부 반군이 시리아 북서부의 쿠르드 지역 아프린에서 쿠르드 민병대 '인민수비대(YPG)'를 몰아내는 작전을 통해 그들에게 무차별 공격을 퍼부었다. 튀르키예가 닥치는 대로 자신들을 죽일 것을 염려한 쿠르드족 10만여 명은 거주 지역을 탈출하여 난민의 길을 택했다.

튀르키예 못지않게 쿠르드족을 탄압하는 나라가 또 있다. 인구의 22%가 쿠르드족인 이라크이다. 이라크 정부가 쿠르드족에게 저지른 탄압 행위는 혀를 내두를 정도로 끔찍하다. 쿠르드족은 이라크 북부의 3개 주에 주로 살고 있다. 또 수도인 바그다드에도 30만여 명이 살고 있고 IS의 본거지였던 모술시에도 5만여 명이 거주하고 있다. 이라크 군사 정부는 미국에서 지원받은 네이팜탄을 쿠르드족 거주 지역에 쏘아 올려 쿠르드족 전사 뿐 아니라 무고한 어린이와 부녀자들까지 죽음에 몰아넣었다. 이라크의 독재자인 사담 후세인(1937~2006) 대통령 시절에는 쿠르드족이 거주하는 지역에 군대를 보내 쿠르드족 수천 명을 살해했다. 가장 큰 비극은 1988년에 일어났다. 사담 후세인 대통령은 이라크군을 이란 국경 지대에 인접한 쿠르드족 마을인 할라브자에 보내 화학 무기인 신경가스를 살포하여 수천 명을 숨지게 했고 1만 명 가까운 사람들에게 신체 손상을 입혔다. 당시 이라크는 이란·이라크 전쟁(1980~1988) 중이었기 때문에, 전투력이 뛰어난 쿠르드족이 이란을 돕지 못하도록 한 것이다. 그런데도 미국을 비롯한 국제 사회는 쿠르드족의 아픔에 대하여 눈을 감고 외면해 버렸다.

인구의 6%가 쿠르드족인 시리아 정부도 내전이 일어나기 전부터 쿠르드족에 대한 탄압을 자행했다. 쿠르드족의 존재 자체를 법적으로 지워 버리기 위해 약 12만 명에 달하는 시리아 거주 쿠르드족의 시민권을 박탈하여 무국적자로 만들었다. 쿠르드족 어린이에 대한 교육을 소홀히 하고 쿠르드어와 쿠르드의 문화를 가르치지 못하게 하기도 했다. 내전이 일어난 해인 2011년, 시리아 정부는 쿠르드족 무국적자에게 국적을 부여했지만 그 수는 고작 6,000여 명 뿐이었다.

## 거듭된 수난에도 독립의 꿈을 놓지 않는 쿠르드족

인구가 천만이 넘는 민족인 쿠르드족이 독립을 이루지 못하는 이유는 주변 나라들 모두가 그들의 독립을 반대하기 때문이다. 만약 이들이 독립하면 쿠르드족이 가진 막대한 경제적 재원이 사라지고 나라 영토가 줄어들기 때문에 튀르키예, 이라크, 이란, 그리고 시리아까지 노골적으로 쿠르드족의 독립을 막고 있는 것이다. 특히 이란은 석유 자원 일부가 쿠르드족이 거주하는 지역에 분포되어 있어 쿠르드족의 독립을 원치 않는다. 1979년에 이란에서 호메이니에 의해 이슬람 혁명이 일어났을 때 쿠르드족은 엄청난 재앙을 당하기도 했다. 이란은 시리아 내전에서 말한 적이 있듯 시아파인데 비해, 쿠르드족은 수니파이다. 혁명군은 이란 서부 지역의 쿠르드족을 공격하여 1만여 명을 죽이고 수천 명을 재판도 없이 현장에서 즉결 처형했다. 현재는 소수지만 쿠르드족 출신이 이란 정계의 유력자로 진출하기도 했다. 그러나 여전히 이란 정부는 자치는 허용하되 분리 운동은 강력히 막고 있다.

그런데도 쿠르드족은 독립을 향한 열망을 놓지 않았다. 세계의 패권을 쥐고 있는 미국과 손을 잡으면 미국의 지지 속에 독립을 이룰 것이라고 생각한 것이다. 그러나 미국은 쿠르드족이 이용 가치가 있을 때만 실컷 이용하고는 헌신짝처럼 배반하기를 여러 차례 반복했다. 쿠르드족에게 무기를 대 주면서 이라크 정부에 반기를 들도록 바람을 넣다가도 이라크 정부와 사이가 좋아지면 바로 무기 공급을 중단해 버렸고, 신경가스로 쿠르드족이 죽어갈 때도 이라크를 지지하고 있던 시절이었기에 모른 척 뒤로 물러났다. 미국이 2003년에 이라크를 침공했을 당시 이라크 북부의 쿠르드족 민병대인 페슈메르가(죽음에 맞서는 사람을 뜻함)의 맹활약 덕분에 미국이 승리할 수 있었다. 하지만 4년 후, 미국이 이라크를 관할하던 2007년에 튀르키예가 이라크 북부의 쿠르드족 거주 지역을 폭격했을 때도 미국은 튀르키예의 공습을 허용했다. 쿠르드족으로서는 용서하기 어려운 배반이었다. 시리아 내전에서도 말한 바 있지만 쿠르드족과 미국은 IS를 무너트리기 위해 군사 동맹을 맺었다. 쿠르드족은 미국이 자신들의 독립을 지지해 줄 것으로 굳게 믿고 IS의 수도 역할을 하는 라카 지역에 이어 마지막 근거지인 바구즈까지 점령했다. 이 과정에서 1만 1,000~1만 5,000명의 쿠르드족 민병대가 귀중한 목숨을 잃었다. 그중에는 앞서 말한 여전사 아시아 라마잔 안타르도 있었다. 그렇다면 IS를 섬멸한 후에 미국이 쿠르드족의 독립을 지원해 주었을까? 그렇지 않다. 오히려 철저히 쿠르드족을 배신했다. 2019년, 도널드 트럼프 대통령은 시리아에서 미군을 완전 철수시켰다. 게다가 2024년에는 튀르키예의 에르도안 대통령(1954~ )이 이라크를 공식 방문하여 쿠르드 테러 조직으로 의심되는 쿠르드 노동자당(PKK)을 소탕해 달라고 정식 요청하기도 했다. 산 넘어 산, 쿠르드족의 앞날은 흐리기만 하다.

그런데도 쿠르드족은 결코 좌절하지 않는다. 어느 한국 기자가 서아시아 지역에서 쿠르드족을 취재하면서 이렇게 물었다. "당신들의 가장 큰 희망은 무엇입니까?" 그러자 그들은 한결같이 이렇게 대답했다고 한다. "우리의 꿈은 독립을 이루는 것이에요." 그들은 지금 이 순간에도 독립의 희망과 꿈을 놓지 않고 있다.

## 쿠르드족이 낳은 최고의 영웅, 십자군을 격파한 살라딘

쿠르드족이 낳은 세계적인 영웅이 있다. 바로 이집트의 아이유브 왕조(1171~1260)를 세운 살라흐 앗딘 유수프 이븐 아이유브(1138~1193, 서양에서는 살라딘으로 불림)다. 그는 지금의 이라크 북부 티크리트의 쿠르드족 명문 가문에서 태어났다. 파티마 왕조의 재상에 오른 후 혼란한 시국을 이용하여 파티마 왕조를 무너트리고 아이유브 왕조를 세웠다. 그의 가장 큰 업적은 제1차 십자군이 차지했던 예루살렘을 88년 만에 다시 탈환한 것이다. 그 과정에서 살라딘은 관용과 용서, 평화의 정신을 몸으로 보여 주었다. 십자군 2만 명을 유인하여 대승리를 거둔 하틴 전투(1187)에서 포로로 잡은 예루살렘 왕국의 왕 기 드 뤼시냥이 목말라하니 시원한 물을 직접 주기도 했다. 그해 10월에 예루살렘을 탈환했을 때는 성에 살던 사람들을 금화 열 냥의 몸값만 내면 손가락 하나 건드리지 않고 풀어주었다.

서유럽에서 그가 명성을 떨치게 된 이유는 영국의 사자왕 리처드 2세와의 대결 때문이다. 제3차 십자군에서 대결하던 리처드 2세가 말에서 떨어지자 자신의 말을 보내어 리처드 2세를 다시 말에 오르게 해 주었다. 영웅은 영웅을 알아보는 법. 두 사람은 마침내 평화 협정을 맺기로 하고 각각 군대를 철수했다. 살라딘은 제2차 십자군이 끝난 후 세 달 만에 55세의 나이로 세상을 떠났다.

» 시리아의 수도 다마스쿠스에 있는 살라딘 동상(출처: 위키피디아) «

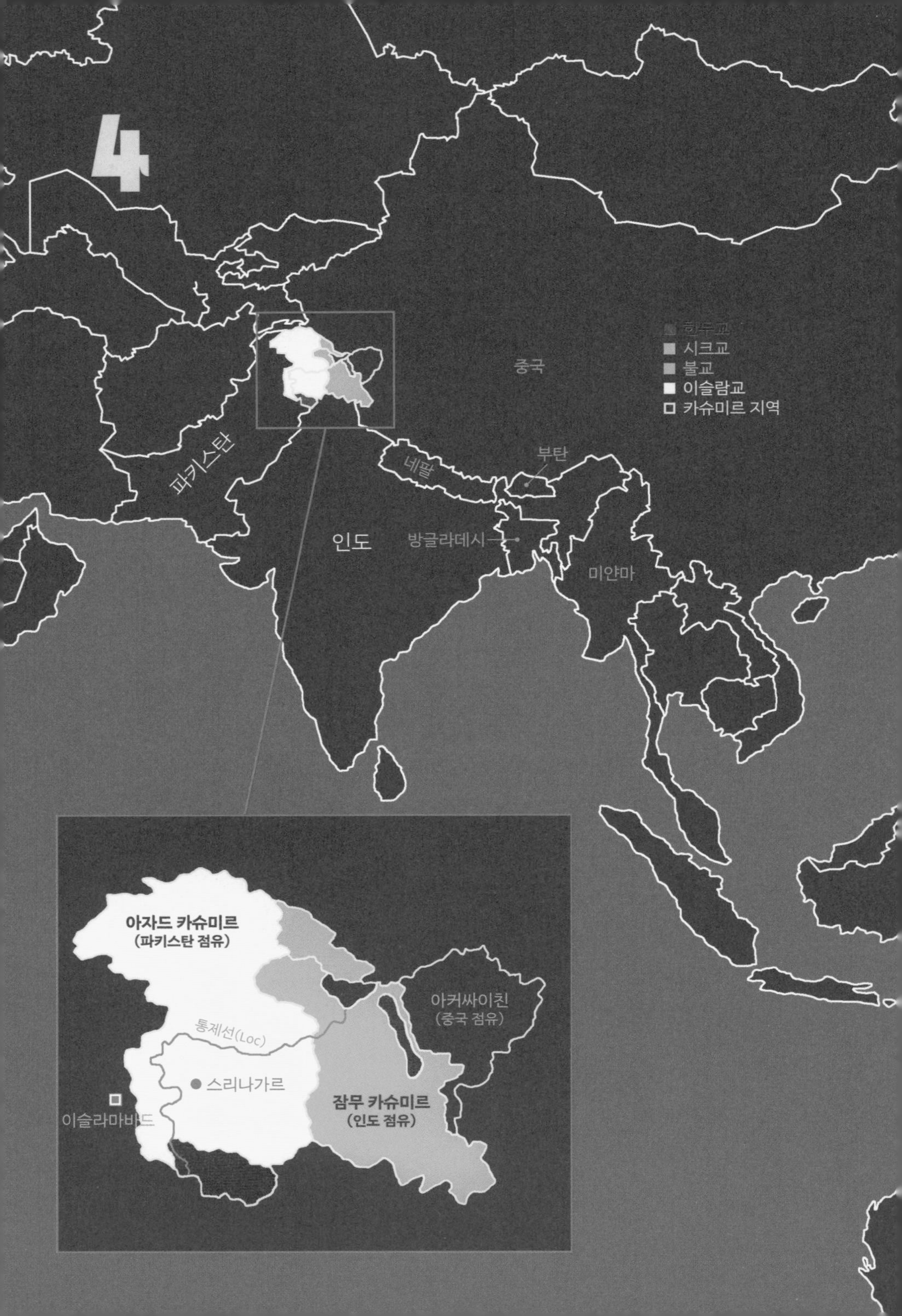
4
힌두교
시크교
불교
이슬람교
카슈미르 지역
중국
파키스탄
네팔
부탄
인도
방글라데시
미얀마
아자드 카슈미르
(파키스탄 점유)
아커싸이친
(중국 점유)
통제선(Loc)
스리나가르
이슬라마바드
잠무 카슈미르
(인도 점유)

# 영국의 분열 통치로 시작된 인도와 파키스탄의 카슈미르 분쟁

**카슈미르 분쟁 관련 연표**

1947 인도와 파키스탄 각각 독립
1947 제1차 인·파 전쟁(~1948)
1965 제2차 인·파 전쟁
1971 제3차 인·파 전쟁
2008 뭄바이 호텔 테러 사건

**그때 우리는**

1947 미소공동위원회 종결
1964 베트남 전쟁 파병(~1973)
1972 10월 유신과 제4공화국 출범
2008 한국 최초 우주인 이소연, 우주선 탑승

인도와 파키스탄의 영토 분쟁 지역인 카슈미르에서
인도가 잠무 카슈미르 지역의 자치권을 박탈했다.
인도 정부가 공공장소에서의 집회와 시위를 금지하고
전화 사용까지 통제하는
계엄령에 가까운 주민 통제령을 내리자,
이슬람 종교를 믿는 잠무 카슈미르 주민들이
대규모로 거리에 나와 반정부 시위를 벌였다.
차도르를 쓴 여성들도 거리에 나와
격렬하게 인도 정부를 성토했다.

## 영국의 식민지 분열 통치의 결과물, 카슈미르 분쟁

인도 최북단에 위치한 카슈미르는 매우 아름다운 풍광을 가진 지역이다. 산양 품종의 하나인 캐시미어 털로 촘촘히 짠 보온성이 뛰어난 직물 '캐시미어'가 이곳의 대표 특산물이다. 지구의 다른 지역들이 뜨거운 여름일 때도 히말라야 고산 지대에 자리한 카슈미르에서는 늘 하얀 눈을 볼 수 있다. 호수 가운데 작은 섬들이 떠 있는 아름다운 풍경의 달 호수라는 곳도 있다. 그래서 사람들은 카슈미르를 '하늘이 내린 관광지'라고 부른다.

» 인도 카슈미르에 위치한 달 호수의 전경(출처: 위키피디아) «

옛 인도 제국 황제들의 여름 궁전이 있던 카슈미르의 중심 도시 스리나가르의 공항에 도착하면, '지상 낙원에 오신 것을 환영합니다'라는 문구가 방문객을 맞이한다. 그런데 이렇게 아름다운 곳에 가득했던 관광객 대신, 총알이 빗발치는 전투와 테러를 겪고 피를 흘리며 쓰러지는 사람들을 곳곳에서 보게 되었다. 정말 안타까운 일이 아닐 수 없다. 평화롭고 행복해야 하는 아름다운 관광지에 도대체 무슨 일이 생긴 것일까? 그 갈등의 역사 속으로 들어가 보자.

카슈미르는 14세기에 샤미르 왕조의 지배를 받으면서 이슬람교를 믿게 되었다. 16세기 이후에는 인도 최후의 이슬람 제국인 무굴 제국의 영토였다. 19세기 초, 무굴 제국이 쇠퇴하자 잠시 아프가니스탄 두라니 제국의 통치를 받다가 이후 시크교 제국의 치하에 들어갔다. 시크교는 나나크(1469~1538)가 카슈미르 지방에서 창시한 종교인데, 일신교이면서 평등과 절제, 순결 등을 실천하도록 가르치는 세계 5대 종교 중 하나이다. 이러한 역사적 배경을 가진 카슈미르 지역에는 다수를 차지하는 이슬람 교도 외에도 시크교도와 힌두교도, 불교도가 함께 살고 있다. 영국 식민 통치 시기였던 1941년의 인구 조사에 의하면 카슈미르에는 무슬림 인구 77%, 힌두교 인구 20%, 소수의 불교도와 시크교도가 나머지 3%를 차지한 상태였다.

그렇다면 왜 카슈미르 지역에서 분쟁이 일어나게 된 것일까? 그것은 영국이 인도를 식민 통치하면서 인도인들끼리 서로 싸우도록 종교를 통해 교묘한 분열 통치를 했기 때문이다. 힌두교도와 이슬람교도가 서로 반목하고 싸워야 영국이 안정적으로 오랫동안 인도를 통치할 수 있다는 생각이었다. 인도의 임시 정부 구성을 놓고 힌두교도 세력과 이슬람교도 세력 간에 갈등이 일어나자, 영국은 인도가 한 나라로 너무 커지는 것을 견제하기 위해서 1947년에 힌두교를 믿는 인도와 이슬람교를 믿는 파키스탄으로 분리 독립을 시켰다. 당시 카슈미르에는 토후국(영국의 보호 아래 군주가 다스리는 작은 국가)이 있었는데 인도와 파키스탄 중 한 나라를 선택하거나 독립을 유지할 수도 있었다. 그런데 토후인 마하라자 하리 싱(1895~1961)의 우유부단한 태도가 카슈미르 분쟁을 더 키웠다. 그는 독립을 추진하려는 총리를 해임하는가 하면 파키스탄을 선택하라는 파키스탄 측의 회유에도 응하지 않았다.

그러자 파키스탄은 무슬림 주민들에게 힌두교도인 토후 마하라자 싱이 인도를 선택할 것이니 폭동을 일으키라고 선동하는 한편, 토후국으로 생필품이 들어가는 길도 막았다. 파키스탄의 선동을 받은 무슬림 주민들은 토후가 인도를 택할지도 모른다는 불안감에 푼치에서 폭동을 일으켰다. 토후는 폭동을 진압하기 위해 펀자브주에서 극단적인 힌두교도의 자유로운 입국을 허용하면서 폭동에 맞불을 놓았다. 그 결과, 폭동을 일으킨 무슬림 6만여 명을 무자비하게 학살하는 사건이 일어났다. 이 사건을 '잠무 학살'이라고 부른다. 파키스탄은 즉각적으로 맞대결에 나서 군대를 파견하여 토후 군대를 물리쳤다. 그러자 마하라자 싱은 파키스탄 군대를 막기 위해 인도에 군대 파견을 요청했다. 그러자 인도는 군대 파견 전에 토후국이 투옥 중인 친인도 성향의 거물 정치인을 석방하고, 국가로 인도를 선택해야 한다는 조건을 내걸었다. 토후는 서둘러 총리를 인도에 보내 인도가 요구하는 조건을 받아들이고 카슈미르가 인도에 속한다는 비준서에 서명을 한다.

## 인도와 파키스탄 간의 전면전으로 발전한 카슈미르 분쟁

카슈미르의 면적은 한반도 정도의 크기이다. 그런데 자신이 다스리는 백성들의 소망을 무시하고 그들이 원하지 않는 나라를 선택한 토후의 결정은 세계를 큰 위기에 밀어 넣었다. 카슈미르를 자국의 영토로 편입하려는 인도와 파키스탄 간에 세 차례 전면전이 일어났고, 2008년에는 미국 뉴욕의 9·11테러만큼 충격적인 뭄바이 호텔 테러가 일어나면서 세계 평화를 위협했다. 핵 보유국인 인도와 파키스탄의 전면전은 세계를 공멸의 길로 나아가게 할 수도 있었기에 세계 각국은 두 나라의 분쟁을 지켜보며 마음을 졸였다. 우리가 카슈미르 분쟁을 주목해야 하는 중요한 이유가 바로 여기에 있다. 지금도 시시각각 어떤 방향으로 확대될지 모를 정도로 카슈미르 분쟁은 시한폭탄 같은 상태이다. 그럼 먼저 제1차 인도·파키스탄 전쟁(이후 인·파 전쟁)에서 일어난 전면전의 양상을 살펴보자.

제1차 분쟁은 1947년 10월에 토후국이 인도를 선택한 직후 파키스탄이 스리나가르를 침공하면서 일어났다. 처음에는 정규군을 보내지 않고 토후국 반군 무슬림에게 무기를 제공하는 한편, 파키스탄 북서부에 위치한 파탄족 민병대 약 5만 명을 전면에 내세웠다. 이들은 한 달 만에 라주리를 점령했는데, 1948년 4월에 인도군이 라주리를 탈환할 때까지 장장 5개월 동안 약 3만 명에 이르는 힌두교도와 시크교도, 지역 주민을 학살했다. 또 파탄족 민병대는 미르푸르도 점령했는데 이곳에서는 약 2만 명이 무참하게 죽임을 당했다. 이들은 진군 속도를 높여 스리나가르를 차지하려 했다. 하지만 인도군이 투입되고 이에 맞서는 파키스탄 정규군이 파병되면서 밀고 밀리는 공방전이 계속되었다.

제1차 인 · 파 전쟁은 다행히 1948년에 유엔이 나서서 양측의 휴전을 중재하며 1949년 1월에 휴전 협정이 발효되었다. 하지만 그 후에도 파키스탄은 카슈미르가 독립 정부임을 주장하고, 인도는 이에 맞서서 영유권을 주장하면서 날선 분쟁이 계속되었다. 결국 다시 같은 해 7월, 유엔이 중재를 한 카라치 협정에 의해 카슈미르는 파키스탄이 통제하는 북서부의 아자드 카슈미르와 인도가 통제하는 남동부의 잠무 카슈미르로 분단되었다. 이후 인도는 카슈미르 지방 중 캐시미어를 생산하는 잠무 지방을 포함한 카슈미르의 55% 지역과 인구 70%를, 파키스탄은 북부의 30% 지역과 인구 30%를 차지하게 되었다. 그리고 대부분이 산악 지대인 아커싸이친(Aksai Chin)의 15% 지역은 중국이 영토권을 주장하게 되었다.

이번에는 제2차 인·파 전쟁에 대해 알아보자. 이 전쟁은 인도가 계기를 만들었다. 인도는 유엔 중재 하에 파키스탄과 맺은 협약을 위반하면서 잠무 카슈미르를 인도 연방의 한 주로 편입시켰고(1964), 이것은 이슬람교를 믿는 무슬림 주민뿐 아니라 파키스탄의 격한 불만을 가져왔다. 파키스탄은 인도에게 보복하기 위해 무슬림 무장 세력을 움직여 1965년 4월, 국경 지역에 있는 쿠치의 란(Rann of Kutch)에서 무력 충돌을 일으키게 했다. 영국이 양국을 중재하여 겨우 불을 껐지만 파키스탄이 '지브롤터 작전'으로 명명한 폭동 선동 작전으로 다시 불을 지피는 바람에 제2차 인·파 전쟁이 일어나게 되었다. 이 작전은 파키스탄이 수천 명의 게릴라 무장 세력을 훈련시켜 잠무 카슈미르 지역으로 침투시킨 후 곳곳에서 마치 주민인 것처럼 위장하여 폭동을 일으키게 하는 것이었다. 인도는 이들 세력을 소탕하면서 제1차 인·파 전쟁 때 정했던 휴전선을 넘어 파키스탄 영역인 하지 피르 고개로 진격했다. 파키스탄은 즉각 정규군으로 대응했고 결국 전면전인 제2차 인·파 전쟁이 일어나게 된 것이다. 전쟁 기간은 5개월에 지나지 않았지만 양측 모두 수천 명의 인명 손실을 입었다. 역사는 이 전쟁을 제2차 세계 대전 이후 최대 규모의 장갑차 교전이 일어난 전쟁으로 기록하고 있다. 다시 유엔과 소련이 나서서 정전 협정을 타결시켰다. 특히 소련은 우즈베키스탄의 타시켄트에 인도와 파키스탄의 대통령을 초청하여 '타시켄트 선언'에 서명을 하도록 중재를 했다. 제2차 인 · 파 전쟁 기간 동안 서방은 무기 공급을 중단하는가 하면 영국의 경우에는 파키스탄을 공격한 인도를 비난하는 성명을 발표했다. 종전 후 이에 불만을 가진 인도와 파키스탄은 1960년대의 세계가 이념에 따라 동서로 갈라진 냉전 구도에서 서방의 반대편인 소련, 중국과 더 긴밀한 관계를 가지게 되었다.

이후 동 · 서 파키스탄 간의 분열이 일어나 결국 동파키스탄이 방글라데시로 독립한 와중에, 인도가 방글라데시에 힘을 실어 주자 다시 불꽃이 일어나며 제3차 인 · 파 전쟁이 시작되었다. 이 전쟁의 승자는 인도였다. 전투가 시작된 지 13일 만에 동파키스탄에 주둔 중인 파키스탄군을 섬멸한 인도는 방글라데시 인민 공화국 군대와 손을 잡고 휴전선을 넘어 서파키스탄 펀자브주의 아자드 카슈미르 일부까지 차지했다. 이때 파키스탄군 포로만 9만 3,000여 명에 달했다. 한 파키스탄 작가는 이 전쟁에서 파키스탄군은 해군의 2분의 1, 공군의 4분의 1, 육군의 3분의 1을 잃었다고 술회했다. 이 전쟁의 평화적인 해결을 가져온 인도 · 파키스탄 정상 회담의 결과를 '심라 협정(Simla Agreement)'이라고 한다. 인도의 심라에서 열렸기 때문이다. 인도는 서파키스탄에서 점령한 지역 중 전략적인 요충지 몇 곳을 제외한 1만 3,000km에 해당하는 지역을 파키스탄에 반환해 주었다. 포로도 모두 석방하기로 했다. 대신 파키스탄은 방글라데시의 독립을 인정하게 되었다. 또한 제1차 인 · 파 전쟁 이후 그어졌던 휴전선이 심라 협상에 의해 사실상 국경선인 정전 통제선(LoC, Line of Control)으로 고착화되는 결과를 낳았다. 우리나라의 경우에 빗대면 휴전선이 생긴 것이다.

1999년에도 두 나라는 군사적으로 크게 충돌했다. 이것을 카르길에서 촉발되었다고 하여 카르길 전쟁 또는 제4차 인 · 파 분쟁이라고도 한다. 이 전쟁은 파키스탄의 도발로 시작되었다. 파키스탄이 훈련시킨 무장 게릴라 세력이 잠무 카슈미르의 반군으로 위장하여 잠무 카슈미르 지역이면서 통제선 지역에 위치한 카르길에 침투하며 분쟁을 일으켰기 때문이다. 인도는 '비제이 작전(Operation Vijay)'이라는 작전명으로 반격을 개시하여 반군 세력으로 위장한 파키스탄군을 색출했을 뿐 아니라 빼앗겼던 통제선 부근 지역을 모두 회복했다. 이 전쟁은 해발 7,000m가 넘는 산악 지역에서 전개되었다. 한반도에서 가장 높은 백두산이 2,744m인 것을 생각하면 얼마나 높은 곳에서 전투가 이루어졌는지 알 수 있다. 전쟁사에서 이 전쟁은 역사상 최고의 고도 전투로 기록된다. 다행히 국제 사회의 노력으로 두 나라는 정전 협정에 합의했지만, 언제 또다시 두 나라가 분쟁에 돌입할지 모르는 살얼음판 위를 걷는 듯한 긴장이 계속되었다.

## 각종 테러로 깊어지는 양국의 갈등

2000년대 들어서 양국이 100만 명의 군대를 동원해 카슈미르 통제선에서 대립하며 전쟁 직전까지 가는 사태가 발생했다. 2008년의 '뭄바이 호텔 테러 사건'이 그 계기가 되었다. 뭄바이는 인도를 대표하는 경제 도시이다. 외국 기업이 뭄바이에 많이 들어와 있어 세계 10대 금융허브로 불리기도 한다. 1993년에 12곳에서 동시 다발 연쇄 폭탄 테러가 있었는가 하면, 2006년에는 뭄바이 열차 테러 사건도 일어났다. 이러한 테러 사건들은 카슈미르 분리를 주장하는 무장 세력의 소행이거나, 잠무 카슈미르 내의 차별적인 통치 정책에 대한 보복으로 일어난 것이었다. 2008년 뭄바이 호텔 테러도 카슈미르의 분리를 주장하는 무장 단체가 일으킨 테러였다. 파키스탄 정부는 공식적으로 관련이 없다고 발표했으나 파키스탄 비밀 정보 기구의 지원을 받았을 것으로 추정되고 있다. 테러가 진행된 단 3일 동안 195명이 숨을 거두었고 부상자만 350명이 넘었다. 테러범은 10명이었는데 인도 보안군의 맞대응으로 9명이 총에 맞아 숨졌고, 1명은 생포되었다. 그리고 이 포로의 진술에 의해 테러가 파키스탄에 기반을 둔 라슈카르에타이바(LeT: Lashkar-e-Taliba)라는 무장 단체에 의한 것임이 드러났다. 파키스탄은 인도의 침공을 우려하여 군대를 통제선에 집결시켰고, 인도도 맞대응

» 2008년 뭄바이 호텔 테러 당시 피해를 입은 타지마할 호텔의 모습(출처: 위키피디아) «

으로 군대를 파견했다. 뭄바이 호텔 테러 사건은 다행히 전면전으로 나아가지 않고 상황이 종료되었다.

하지만 카슈미르의 이슬람교도 주민들과 파키스탄은 계속 인도에 대한 불만을 품고 있다. 심지어 파키스탄의 무샤라프 총리는 카슈미르 내에서 발생하는 이슬람 단체에 의한 테러를 '카슈미르의 자유를 위한 성전'이라고까지 했다. 인도로부터 카슈미르의 분리를 주장하면서 파키스탄의 지원도 받는 과격한 무장 단체들이 속속 조직되었다. 특히 자이시에무함마드(JeM: Jaish-e-Muhammed; Army of Muhanmmed)라는 무장 단체는 2016년에 우르의 군사 기지를 공격하는가 하면, 2019년에도 카슈미르에서 자살 폭탄 테러로 인도 경찰 40여 명을 숨지게 했다. 이를 응징하기 위해 인도의 전투기와 전폭기가 정전 통제선을 넘어 파키스탄 본토에 있는 JeM 캠프를 폭격하는 바람에 세계를 긴장시켰다. 이 과정에서 파키스탄이 인도의 공군기를 격추시킨 후 인도 조종사를 생포하기도 했다. 이틀 후에 조종사는 살아 돌아왔지만 인도의 힌두교도 국민들은 매우 분노했고 두 나라 사이의 감정의 골이 매우 깊어졌다.

## 인도의 자치 헌법 조항 폐지에 대한 반인도 정서

또 2019년에는 카슈미르 분쟁을 증폭시키는 인도 정부의 조치가 있었다. 힌두 민족주의 정당인 인도인민당을 이끌고 재집권에 성공한 모디 총리가 카슈미르의 특별 자치권을 보장하는 헌법 370조와 잠무 카슈미르에 오래전부터 살아온 사람들의 특권적 권리를 보장해 왔던 헌법 35A 조항의 폐지를 발표했기 때문이다. 인도 정부는 이 조치에 대한 저항을 막기 위해 학교를 폐쇄하고 전화와 인터넷을 차단했다. 집회와 단체 행동을 금하면서 저항에 참여할 것으로 예상되는 많은 사람들을 체포하기도 했다. 2020년에는 35A 조항을 대신하는 '영주권 법'을 제정했는데, 이 법이 영주권 취득 조건을 대폭 완화하는 바람에 오래전부터 카슈미르에 살던 주민들은 역차별을 당하게 된다. 이주민이 쏟아져 들어오면서 일자리도 얻기 힘들어진 카슈미르의 젊은이들은 분노했고, 2019년을 기점으로 무장 단체에 투신하는 사람들도 많이 늘어났다. 또 인도 정부에 격렬히 저항하는 시위도 빈번하게 일어났다. 2021년 8월 5일에 있었던 시민 저항 운동이 대표적인데, 블랙데이로 명명된 '헌법 370조 폐지 및 카슈미르의 인도 연방 편입' 2주기를 맞아 스리나가르에서는 필수적인 서비스 제공 업무 외에는 모든 업무를 중단하는 시민 불복종 운동이 펼쳐졌다. 그럴수록 카슈미르에 주둔한 인도 치안군이 강경 진압에 나서게 되고, 그 결과 무고한 희생자가 늘어나는 악순환이 계속되었다. 또 테러와 무장 단체의 공격 대상이 된 힌두계 주민들이 안전을 위해 생활 근거지를 떠나면서 수십만 명이 정처없이 떠돌아다니는 난민 신세가 되었다.

파키스탄은 줄곧 카슈미르 문제를 국제 문제로 부각시켜 유엔 안전보장이사회나 국제사법재판소가 개입해 주기를 원했다. 반면 인도는 카슈미르의 인도 편입과 헌법 조항 파기는 어디까지나 국내 문제라고 주장하고 있다. 그렇다면 파키스탄은 왜 그렇게 카슈미르 지방에 집중하는 것일까? 단지 종교 문제뿐만이 아니라 파키스탄으로 유입되는 주요 하천이 모두 카슈미르 지방을 지나고 있어 수자원을 안전하게 보호하고 확보하기 위함이다. 한편 카슈미르 문제에 국제 사회의 개입을 원했던 파키스탄의 목적은 달성되었을까? 이를 위해 파키스탄의 전 총리인 나와즈 샤리프는 2013년, 2015년, 2017년에 걸쳐 3차례나 유엔 총회에 카슈미르 문제를 상정했다. 또 2019년에 후임 총리인 임란 칸은 미국의 유력한 시사 언론인 〈뉴욕타임스〉에 국제 사회의 중재와 개입을 촉구하는 기고문을 올리면서 핵전쟁 가능성까지 언급했고, 한 걸음 더 나아가 카슈미르 문제를 유엔 안전보장이사회에 제출하고자 했다. 하지만 유엔 총회도, 안보리도 카슈미르 문제를 인도의 주장대로 국내 문제로 간주하고 관여하지 않기로 결정했다. 특히 미국은 9·11 테러의 배후 인물로 지명 수배 중인 오사마 빈 라덴이 무장 단체의 보호를 받으며 잠무 카슈미르에 은닉해 있는 것으로 파악되자, 인도의 협조를 받아 델타 포스 특수 요원들을 파견하여 제거한 후에 인도의 손을 들어 주었다.

이렇게 복잡하게 얽히고설킨 카슈미르 문제가 2022년부터 조금씩 진정되기 시작했다. 2022년 4월, 임란 칸 총리가 탄핵으로 물러나고 파키스탄 정부의 새 총리로 셰바즈 샤리프가 부임하면서 외교 정책에 변화가 생긴 것이다. 그는 카슈미르 주민에 대한 적극적인 지원을 약속했지만, 속내는 인도와의 관계 개선이어서 인도를 자극하는 어떤 행위도 하지 않을 것으로 예상된다. 셰바즈 샤리프는 임기 연장을 위해 의회를 해산하고 2024년 3월에 다시 치른 총선에서 또 다시 제25대 총리가 되었다. 이에 당분간 카슈미르에서 극단적인 전면전으로 치닫는 분쟁은 일어나지 않을 전망이다. '지상의 낙원'으로 불리었던 카슈미르에 일상이 회복되고 평화가 가득하기를 응원한다.

## 카슈미르 지역의 이산가족 슬픔을 위로하기 위해 탄생한 '평화 버스'

우리나라의 6.25 전쟁 이후 휴전선이 그어져 남북의 이산가족이 서로를 만나지 못하고 그리워하듯이, 카슈미르에도 분쟁의 씨앗이 초래한 이산가족들의 슬픔이 존재한다. 제1차 인·파 전쟁의 부산물로 생겨난 통제선 때문이다. 이산가족들의 사연도 가지각색이다. 잠시 친지를 방문하기 위해 집을 나섰던 가장이 통제선이 생기는 바람에 다시는 사랑하는 가족을 만나지 못하고 생이별을 한 비극적 사연이 대표적이다.

이러한 카슈미르 지역에 2005년, 분단 40여 년 만에 이들을 위로하는 기적 같은 역사적 진전이 있었다. 인도와 파키스탄이 14개월 동안의 평화 협상 끝에 '평화 버스'를 운행하기로 약속한 것이다. 우리나라에서 남북 이산가족 상봉이 이루어져 감격의 눈물을 흘렸던 일이 카슈미르에서도 재현되었다. 평화 버스는 잠무 카슈미르의 스리나가르에서 아자드 카슈미르의 무자파라바드까지 170km를 오가며 이산가족들에게 가슴 벅찬 감동을 안겨 주었다. 그러나 분쟁이 다시 격화되자 이 평화 버스도 2019년을 끝으로 역사 속으로 사라졌다. 지금도 카슈미르 지역 사람들은 평화 버스가 다시 운행되기를 손꼽아 기다리고 있다.

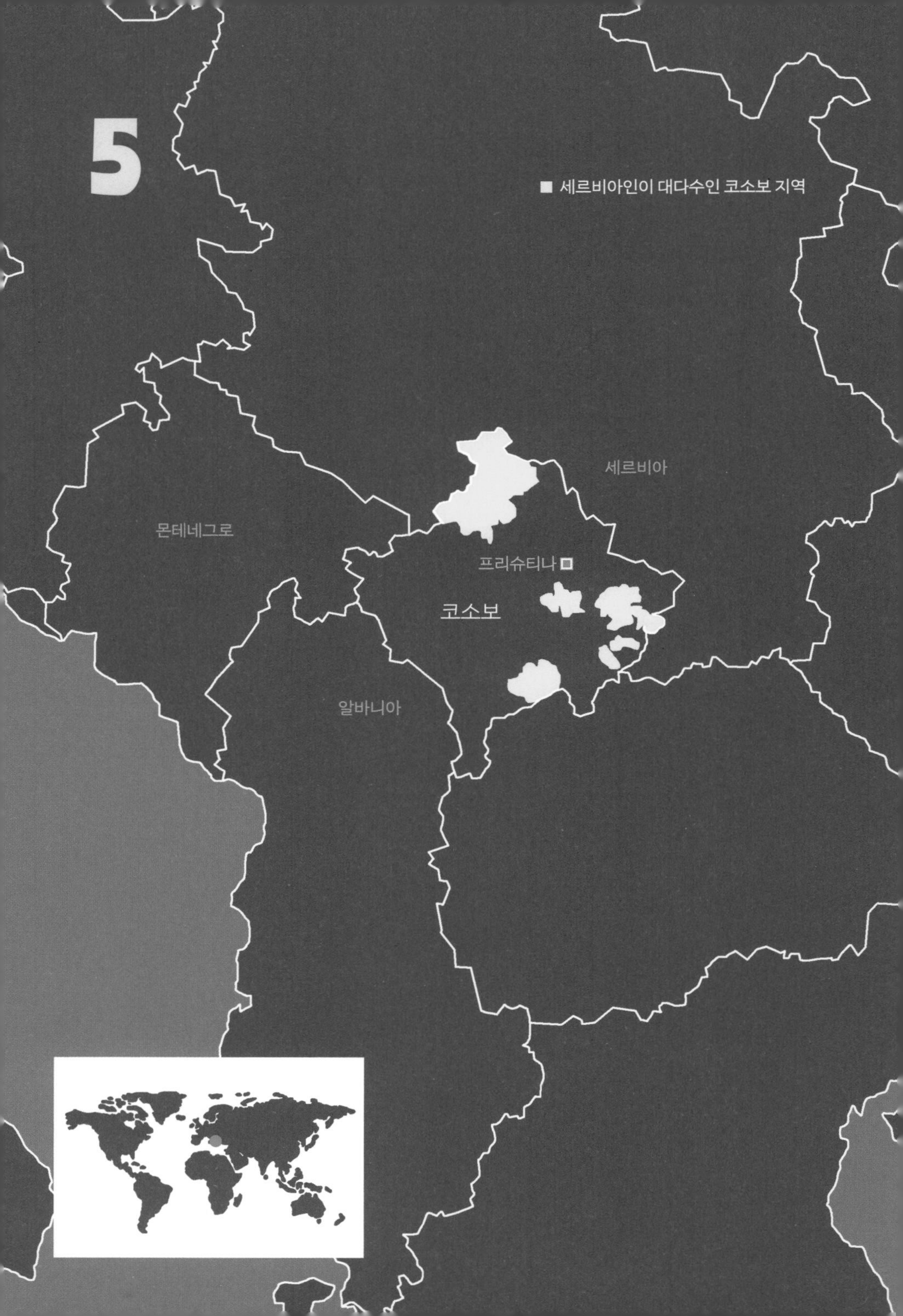
5
세르비아인이 대다수인 코소보 지역
세르비아
몬테네그로
프리슈티나
코소보
알바니아

# 종교 갈등으로 빚어진 비극적인 인종 청소의 현장, 코소보 전쟁

코소보 전쟁 관련 연표

1912 제1차 발칸 전쟁으로 세르비아, 코소보 합병
1945 유고슬라비아 연방 인민 공화국 수립
1992 보스니아 전쟁(~1995)
1998 코소보 전쟁(~1999)
2008 코소보 독립

그때 우리는

1912 일제, 토지 조사령
1945 8·15 광복
1997 외환 위기로 IMF 구제금융 요청
2008 이명박 정부 출범

2008년에 독립한 신생 독립국 코소보의 수도 프리슈티나 중심부에 위치한 공원에는 국가 기금으로 세운 독특한 대형 조각물이 있다. 바로 코소보 여성의 얼굴을 2만 개의 바늘로 형상화한 것으로, 작품의 이름은 '헤로이낫 메모리얼(Heroinat's memorial)'이다. 2만 개의 바늘 하나하나마다 코소보 알바니아 여성의 각기 다른 얼굴이 새겨져 있다. 1998년부터 1999년까지 코소보 전쟁 중에 강간당한 여성들을 나타낸 것이다. 세계보건기구(WHO) 등 국제기구는 최대 2만 명에 달하는 코소보 여성이 전쟁 당시 강간을 당한 것으로 추산했다. 이 조각은 코소보의 해방 기념일인 2015년 6월 12일에 처음 공개되어 코소보 전쟁 중 희생당한 여성들의 넋을 기리고 있다.

## 세르비아의 심장이자
## 알바니아인의 터전, 코소보

코소보는 발칸반도의 전략적 요충지에 위치한 국가이다. 2008년에 미국 등 서방의 도움을 받아 오랫동안 코소보를 지배하고 있던 세르비아로부터 독립을 선포한 신생 독립국이 되었지만, 러시아를 비롯한 많은 나라들로부터 아직 독립 승인을 얻어 내지 못했다. 코소보는 남서쪽으로 알바니아와 국경을 맞대고 있고 북쪽과 동쪽에는 세르비아 영토가 이어진다. 코소보가 속한 발칸반도는 제1차 세계 대전이 일어날 당시 여러 민족과 종교가 얽혀 있어 '유럽의 화약고'라고 불렸다. 조금만 건드리면 언제든지 폭발하는 화약통처럼 유럽에서 분쟁 가능성이 가장 큰 지역이라는 뜻이다.

이곳은 14세기 이후 오스만 제국의 지배를 받으면서 종교로는 로마 가톨릭교, 그리스정교, 이슬람교가 교차하고, 민족으로는 러시아를 중심으로 한 범슬라브주의와 독일과 오스트리아를 중심으로 한 범게르만주의가 격돌하는 지역이었다. 코소보의 인구 구성을 보면 극한 지역 분쟁의 중심지가 될 수밖에 없는 이유를 잘 알 수 있다. 코소보의 인구는 200만여 명인데 그중 이슬람교를 믿는 알바니아계가 90%이고 로마 가톨릭이나 그리스 정교를 믿는 세르비아계가 10%이다. 인구 구성으로 보면 알바니아에 속해야 하는 지역인데 세르비아에 속한 바람에 전쟁까지 겪고, 마침내는 세르비아와 다른 길을 걸어가기 위해 독립을 선언하게 된 것이다. 미국은 코소보의 독립을 적극 지원했는데, 왜냐하면 코소보 영토에 대규모 미군기지인 캠프 본드스틸이 있고 미국으로 향하는 천연가스 파이프 라인이 통과하기 때문이다. 아직 유엔 회원국 중 102개 국가에서만 코소보의 독립을 인정하고 있기 때문에 그들은 미국의 지속적인 후원을 절실히 원하고 있다. 이를 위해 코소보는 2016년에 코소보 전쟁이 끝난 후, 제46대 미국 대통령인 조 바이든(1942~ )의 아들이며 당시 법률 자문관으로 있던 보 바이든(1969~2015)을 추념하여 캠프 본드스틸로 가는 일부 길의 이름을 '보 바이든'으로 명명하기까지 했다.

한편 슬라브족 국가인 세르비아는 코소보를 '세르비아의 심장'이라고 부르며 결코 포기할 수 없는 지역임을 분명히 하고, 코소보가 독립한 지 2023년 기준으로 15년이 지났는데도 '코소보 메토히야 자치주(Auto-nomous Province of Kosovo and Metohija)'라고 부르고 있다. 그렇다면 세르비아는 왜 코소보를 '세르비아의 심장'이라고 하는 것일까? 세르비아인들은 6세기에 북부 발칸에 정착하여 비옥한 코소보 평원을 중심으로 세르비아 제국을 건설했다. 코소보는 제국의 정치·경제·종교 중심지였다. 그런데 1389년에 '검은 새의 평원 전투(Battle of Kosovo)'에서 오스만 제국과의 전쟁에 패하면서 10만 명 이상의 세르비아인이 목숨을 잃었다. 전쟁에 진 세르비아인들은 북쪽으로 쫓겨났고 세르비아인들이 살았던 지역에는 이슬람교를 믿는 알바니아인들이 대거 정착하게 되었다. 세르비아는 지금도 '성 비투스의 날(Vidovdan)'이라 하여 전쟁이 일어난 날을 중요한 국가적 종교 휴일로 삼고 있다. 세르비아 정교회는 이날(율리우스력 6월 28일)을 오스만 제국과의 전투에서 전사한 성 라자르 왕자와 세르비아의 거룩한 순교자들을 추모하는 날로 기리고 있다. 그런데 그 코소보가 다른 나라가 된다는 것은 세르비아로서는 도저히 받아들일 수 없는 일인 것이다.

## 영토 확장을 위한 보스니아 전쟁에서 인종 청소를 자행한 세르비아

슬라브족 국가인 세르비아는 1914년의 '사라예보 사건'으로 제1차 세계 대전을 촉발한 나라이다. 게르만족 국가인 오스트리아·헝가리 제국이 보스니아·헤르체고비나를 합병하면서 갈등에 불이 붙었다. 이곳에 많이 살고 있는 슬라브족이 세르비아에 속하기를 원했기 때문이다. 코소보가 속한 세르비아는 남슬라브족의 단결을 외치며 오스트리아·헝가리 제국과 대립했고, 세르비아를 지지하는 슬라브족 종주국인 러시아와 영국, 프랑스는 삼국 협상으로 연합국을 형성했다. 그에 맞서 오스트리아·헝가리 제국과 같은 게르만족 국가인 독일이 이탈리아와 함께 삼국 동맹을 형성하면서, 세계는 제1차 세계 대전의 소용

돌이에 휩쓸리게 되었다. 제1차 세계 대전의 승자는 연합국으로, 세르비아 쪽의 승리로 끝났다. 이에 세르비아는 영역을 확대하여 '세르비아 · 크로아티아 · 슬로베니아 왕국'을 세운 후 국명을 '유고슬라비아 왕국'으로 정했다. 유고슬라비아는 '남슬라브족의 나라'라는 뜻이다.

유고슬라비아는 제2차 세계 대전 종전 후에 러시아 혁명으로 사회주의 연방 국가가 된 소련의 영향을 받아 다른 동유럽 국가들과 함께 공산주의 국가가 되었다. '유고슬라비아 사회주의 연방공화국(유고연방)'에는 크로아티아, 슬로베니아, 보스니아 · 헤르체고비나, 마케도니아, 몬테네그로, 세르비아 등 6개 공화국이 포함되었다. 이때 코소보는 여전히 세르비아에 속한 한 주로 남아 있었다. 연방 국가 성립에는 제2차 세계 대전 당시 유격대를 조직하여 독일군에 맞서 싸우다가 공산당 서기장이 된 요시프 브로즈 티토(1892~1980)의 역할이 컸다. 티토는 당시 미국을 중심으로 한 자본주의 진영인 제1세계와 소련을 중심으로 한 공산주의 진영인 제2세계 중 그 어느 쪽에도 속하지 않겠다는 제3세계, 즉 비동맹국가의 중심인물이었다. 1980년에 그가 세상을 떠난 뒤, 1989년 전임 대통령들에 이어 극단적인 민족주의를 강조하는 슬로보단 밀로셰비치(1941~2006)가 유고슬라비아의 대통령에 당선되면서, 민족과 종교가 얽혀 있는 연방에 갈등이 폭발했다. 그가 집권한 시기는 동유럽에 사회주의 체제가 붕괴되어 공산주의 국가와 독재 정권 역시 무너지기 시작하던 때였다. 유고 연방도 해체의 길을 걷게 되었다.

1991년에는 슬로베니아, 크로아티아, 마케도니아가 독립했고 1992년에는 보스니아 전쟁을 통해 보스니아 · 헤르체고비나까지 분리 독립함으로써 유고 연방은 해체되었다.

보스니아 전쟁은 세르비아 영토를 확대하겠다는 야망을 포기하지 않은 슬로보단 밀로셰비치 대통령의 주도로 1992~1995년까지 진행되었다. 이 전쟁에서 세르비아군이 저지른 무차별 집중 폭격과 학살, 집단 강간, 강제 추방 등의 전쟁 범죄로 인해 세계사에 '인종 청소'라는 말이 등장하게 되었다. 보스니아 · 헤르체고비나에서 가장 많은 인구를 가진 무슬림 보스니아인들의 주도로 1992년에 국민 투표가 찬성으로 통과되자 세르비아계 사람들은 국민 투표를 보이콧했다. 그러자 밀로셰비치 대통령은 유고슬라비아 군대를 투입하여 보스니아 전국으로 전쟁을 확대하면서 피비린내 나는 살육이 자행되었다. 특히 세르비아 지지자인 몬테네그로 출신의 정치인 라도반 카라지치(1945~ )는 국민 투표 결과를 거부하며 사라예보를 수도 삼아 스릅스카 공화국을 수립하고, 스스로 대통령에 취임하여 밀로셰비치 대통령과 함께 학살과 전쟁 범죄를 주도했다. 전쟁 중인 1995년 7월, 그의 주도로 유엔 안전지대이던 스레브레니차에서는 8,000여 명의 알바니아 코소보인들이 끔찍한 죽임을 당하여 이 사건은 제2차 세계 대전 이후 유럽에서 일어난 최악의 학살로 기록되었다.

나토(NATO, 북대서양조약기구)의 폭격과 경제적 제재에 압박을 느낀 세르비아가 1995년 11월에 미국 오하이오주의 데이턴에서 협정을 체결하면서 전쟁이 종결되었는데, 전쟁으로 인한 피해는 말할 수 없이 컸다. 보스니아 전쟁 과정에서 발생한 10만여 명의 사망자 중 60%가 이슬람교를 믿는 무슬림 보스니아인이었다. 민간인 사망자도 전체 사망자의 37.9%에 달했다. 전쟁이 시작된 1992년 4월, 세르비아는 몬테네그로 공화국과 연합하고 보이보디나와 코소보의 2개 자치주로 구성된 유고슬라비아 연방공화국(신 유고 연방)을 결성했는데, 이 신 유고연방 군대와 세르비아의 지원을 받은 세르비아계 민병대는 보스니아 전쟁 과정에서 끔찍한 전쟁 범죄를 저질렀다. 놀랍게도 당시 군대는 강간 수용소 여러 곳을 운영하기도 했다. 보스니아 전쟁 기간 동안 수만 명의 이슬람교도 여성이 강간 수용소에서 집단 강간을 당하는가 하면, 군인들의 성노예 생활을 하면서 매매의 대상이 되기도 했는데 그중에는 14세 미만의 소녀도 있었다. 세르비아계 민병대는 살인, 방화, 약탈, 성범죄를 저질렀고 보스니아인들을 강제로 추방하는 인종 청소에 앞장섰다.

## 코소보 전쟁에서 사용한 세르비아의 무기, 강간

자, 다시 코소보 이야기로 돌아가 보자. 앞서 세르비아는 1912년에 주변의 여러 국가(불가리아, 그리스, 몬테네그로 왕국)와 발칸 동맹을 맺고 오스만 제국과 벌인 제1차 발칸 전쟁에서 승리한 덕분에 오스만 제국이 통치하던 코소보를 자국 영토로 확보할 수 있었다. 오스만 제국은 이 전쟁에서 패배하여 유럽 영토의 83%를 잃었다.

코소보 전쟁의 큰 책임은 강력한 세르비아 민족주의를 밀어붙인 슬로보단 밀로셰비치 대통령에게 있다. 그는 철저한 민족 분리주의자로, 코소보에서 절대 다수를 차지하는 무슬림 알바니아인들의 독립에 대한 소망을 짓밟았다. 알바니아 의원들이 독립 국가 선포를 위한 투표를 하겠다고 하자 의회의 문을 걸어 잠그는 바람에, 의원들은 문이 잠긴 의회 대신 길거리에서 투표를 하여 코소보 공화국을 선포했다. 1992년에는 코소보 알바니아인들만 참여한 선거에서 이브라힘 루고바(1944~2006)를 대통령으로 선출했다. 세르비아는 이를 인정하지 않았을 뿐 아니라 코소보 자치 정부를 해산시키고 자치권을 박탈했다. 또 교사들에게 무리한 서명을 강요하여 이를 거부한 교사들을 학교에서 몰아내는가 하면, 노동법을 개정하여 8만여 명의 알바니아인들을 해고하여 일자리를 빼앗았다.

이에 알바니아인들은 '병행 투쟁'에 나섰다. 학교가 폐쇄되면 코소보 알바니아인만을 위한 학교를 세워 쫓겨난 교사들이 다시 교단에 서게 했고, 경기장과 스포츠 시설에서 쫓겨난 사람들을 위해 병행 축구리그까지 새로 만들었다. 국가 속에 또 하나의 국가를 병행으로 존재하게 한 것이다. 하지만 탄압이 날로 심해지자 코소보 정부는 망명을 떠날 수밖에 없었고 비폭력적인 분리주의 운동으로는 독립을 쟁취할 수 없다는 것을 깨닫게 되었다. 이제 남은 방법은 무장 투쟁이었다. 1995년, 드디어 무장 투쟁 단체인 코소보해방군(Kosovo Liberation Army; KLA)이 조직되었다. 이들은 코소보에서 신 유고슬라비아 연방 군대와 세르비아 경찰을 공격하여 세르비아 정부를 자극했고, 그 결과 1998년에 코소보 전쟁이 일어났다. 슬로보단 밀로셰비치 대통령은 보스니아 전쟁에서와 마찬가지로 인종 청소에 나서 보스니아 전쟁 동안 알바니아인 1만 명 이상을 학살하고 85만~90만여 명의 알바니아인들을 강제로 추방하여 난민으로 만드는 인종 청소를 저질렀다. 특히 잔인한 것은 알바니아 여성들을 조직적으로 강간하여 알바니아인 가정을 파탄에 이르게 한 것이다. 강간을 전쟁 도구로 사용하는 끔찍한 일이 일상적으로 일어났다. 보스니아 전쟁과 마찬가지로 코소보 전쟁에서도 여성이 지역 분쟁의 희생양이 되었다. 그렇기 때문에 그녀들을 나라의 독립을 가져온 '영웅'으로 평가하는 조각품이 국가 이름으로 세워진 것이다. 세르비아는 알바니아 여성들을 강간함으로써 전통적인 생각을 가진 알바니아 남성이 가족의 명예를 훼손시킨 아내를 쫓아내고, 그 정신적 충격의 여파로 전투에서도 전사로서 제대로 활동하지 못할 것이라고 생각했다. 뿐만 아니라 알바니아 여성에게 세르비아 남성의 아이를 낳게 하여 '민족을 정화'시키겠다는 불순하고 잔악한 의

도로 알바니아 여성들에게 잔인한 성폭력을 자행했다.

## 밀로셰비치 대통령과 카라지치 대통령의 비참한 최후

나토와 유엔은 세르비아를 응징하기 위해 공습을 퍼붓고 평화유지군을 파견했다. 결국 보스니아 전쟁과 마찬가지로 세르비아는 1999년에 백기를 들었고 코소보는 유엔 평화유지군이 지키는 '세르비아 내 유엔 관리 자치주'가 되었다. 코소보 전쟁 기간 동안 1만 1,000여 명의 사람들이 목숨을 잃었다. 그중 약 85%가 알바니아인이었다. 또 현재까지도 실종되어 행방을 알 수 없는 알바니아인은 2,500여 명에 달한다. 알바니아 무장 단체인 코소보 해방군(KLA)에 의한 학살도 보고되었다. 아마도 이들에 의해 고문을 받다가 생을 마친 것으로 여겨지는 세르비아인 실종자도 400여 명에 달한다. 전쟁이 끝나고 유고슬라비아군이 철수하자 KLA가 중심이 되어 8만여 명에 달하는 세르비아인과 비 알바니아인들을 코소보에서 강제 추방했다.

코소보 전쟁이 끝난 후에도 밀로셰비치 대통령은 건재했다. 그는 3선을 노리며 신 유고슬라비아 연방 대통령 선거에 출마했는데 각종 부정 선거 행위를 하다가 '불도저 혁명'으로 불리는 시민 혁명이 일어나 하야한 후, 세르비아 정부에 의해 권력 남용과 부패, 횡령 등의 혐의로 체포되었다. 세르비아 정부는 그의 신병을 네덜란드 헤이그에 있는 구 유고슬라비아 국제형사재판소(ICTY)로 넘겼다. 구 유고슬라비아 국제형사재판소는 코소보 전쟁이 일어나기 전에 유엔 안전보장이사회 결의 제827호에 의해 설치된 재판소이다. 이 재판소는 밀로셰비치를 포함한 9명의 유고슬라비아 고위 관리들을 반인도적 범죄와 전쟁 범죄 혐의로 기소했다. 국가 원수로는 최초로 국제형사재판소 법정에 섰던 밀로셰비치 대통령은 재판이 진행되던 2006년 1월 감옥에서 심장마비로 생을 마쳤다. 반면 그와 함께 인종 청소를 주도했던 스릅스카 공화국의 대통령 라도반 카라지치는 놀랍게도 백발의 머리와 수염을 기른 노인으로 변장을 하고 13년 동안이나 숨어 살았고, 심지어 대체 의학과 심리 치료를 하는 사설 병원을 운영하기도 했다. 그러나 손바닥으로 하늘을 가리기에는 그가 저지른 범죄가 너무도 끔찍했다. 카라지치도 결국 2008년에 세르비아의 수도 베오그라드에서 체포되었고 재판에 회부되어 대량 학살과 반인도적인 전쟁 범죄에 대해 40년 징역형을 선고 받았다. 수많은 사람에게 끔찍한 비극과 고통을 준 악인의 비참한 말로를 통해 더 이상 분쟁과 전쟁 범죄는 일어나면 안 된다는 역사적 교훈을 얻을 수 있다.

## 제1차 세계 대전의 계기가 된 사라예보 사건의 진실

사라예보 사건은 보스니아·헤르체고비나의 수도 사라예보를 방문한 오스트리아·헝가리 제국의 프란츠 페르디난트 대공 황태자 부처를 세르비아계 청년들이 조직한 '검은손(Black Hand)'이라는 비밀 결사 단체가 암살한 사건이다. 게르만족 국가인 오스트리아·헝가리 제국이 슬라브족이 많이 살고 있는 보스니아·헤르체고비나를 합병하는데도 세르비아의 총리인 니콜라 파시치가 적극적인 대응을 하지 않자, 이에 불만을 품은 세르비아계 청년들은 암살이라는 극단적인 행동으로 남슬라브 국가를 세우겠다는 그들의 목표를 보여 주기로 했다. 조직원은 모두 6명이었는데 그중 암살에 성공한 가브릴로 프린치프는 19살이었다. 그는 황태자 부처의 차를 발견하고 두 발의 총을 쏘아 암살에 성공했다. 당시에 황태자비는 임신 중이었다. 황태자 부처의 암살 소식을 접한 이탈리아 신문사는 사진 대신 암살당하는 장면의 삽화를 내보냈는데, 이 삽화에는 황태자가 총에 맞아 먼저 쓰러지고 황태자비가 당황하는 모습이 담겨 있다. 이 삽화는 우리나라 교과서에도 여러 번 실렸다. 하지만 진실은 황태자비가 먼저 쓰러졌고 황태자는 그녀의 이름을 부른 뒤 나중에 쓰러져 숨을 거두었다. 암살단은 현장에서 체포되어 법정에 섰는데 프린치프는 뱃속의 아기까지 3명을 살해했음에도 불구하고 20년형을 받았다. 그 이유는 미성년자였기 때문이다. 그는 법정에서 당당하게 "나는 모든 유고슬라비아의 통일을 목표로 하는 유고슬라비아 민족주의자입니다."라고 말했다. 그는 투옥된 지 4년 만에 결핵에 걸려 감옥에서 생을 마쳤다.

» 이탈리아 신문인 〈도메니카 델 코리에레(Domenica del Corriere)〉의 1914년 7월 12일자 첫 페이지에 실린 삽화(출처: 위키미디어 커먼스) «

6
벨라루스
러시아
폴란드
체르노빌
키이우
우크라이나
드니프로강
루간스크
슬로바키아
드니프로
도네츠크
몰도바
헝가리
마리우폴
오데사
루마니아
크림
반도
세바스토폴
흑해

# 러시아의 침공에 눈물 흘리는 유럽의 곡물 창고, 우크라이나

우크라이나 전쟁 관련 연표

1991 우크라이나, 소련 해체로 연방에서 독립
2004 오렌지 혁명
2013 유로마이단
2014 러시아, 크림반도 합병
2022 러시아, 우크라이나 침공

그때 우리는

1991 대한민국과 조선민주주의인민공화국 유엔 동시 가입
2004 노무현 대통령 탄핵 소추안 국회 통과
2014 세월호 침몰 사건
2022 윤석열 정부 출범

*포탄이 빗발치는 전쟁의 어려움을 이겨내고 성사된 사랑의 결혼식은 많은 사람들에게 큰 감동을 선사한다. 우크라이나의 젊은 전사였던 이반 소로카와 그의 신부 블라디슬라바 리아베츠의 결혼식이 그러했다. 신랑 이반 소로카는 조국을 위해 참전했다가 퇴각하던 전선에서 러시아의 포격을 맞아 두 눈을 잃었다. 그에게는 결혼을 약속한 연인이 있었다. 소로카는 평생 장애를 입고 살아갈 자신에게 결혼은 어려운 일이라고 생각하며 좌절했다. 그러나 그의 연인인 리아베츠는 한결같이 그를 사랑하고 응원하며 예정대로 결혼식을 준비했다. 2023년 9월, 우크라이나의 한 농촌 마을에서 친지와 이웃 친구들의 축복 속에 조촐한 결혼식이 열렸다. 소로카는 신부를 볼 수는 없었지만 그녀가 자신의 손에 결혼반지를 끼워 주자 그의 감긴 눈에서 기쁨의 눈물이 흘렀다.*

## 형제 관계에서 적대적 관계가 된
## 러시아와 우크라이나

2022년 2월 24일, 러시아는 한때 같은 소비에트 연방 공화국에서 형제같이 지내던 우크라이나를 침공하여 2024년 현재까지도 전쟁 중이다. 전쟁이 일어나기 전, 러시아 대통령 푸틴(1952~ )은 대국민 담화문에서 이렇게 말했다. "(우크라이나는) 우리의 친구이며 혈연관계로 맺어진 친족이나 다름없습니다." 반면 우크라이나 대통령인 젤렌스키(1978~ )는 정반대의 연설을 했다. "(우크라이나는) 역사의 이정표와 러시아 제국의 위인을 잊으려고 노력하고 있습니다."

두 사람이 말한 내용을 이해하기 위해 먼저 우크라이나의 역사를 알아보자. 러시아와 우크라이나의 역사 연대기를 거슬러 올라가면 9세기에 성립한 키이우 루스라는 국가에 도착한다. 동슬라브인이 세운 최초의 국가다. 키이우 루스국의 수도가 현재 우크라이나의 수도인 키이우였고 13세기에 몽골의 침입으로 멸망할 때까지 우크라이나, 벨라루스, 러시아 3국의 첫 국가이자 조상이 되었다. 나라를 멸망시킨 몽골의 정복자가 칭키즈 칸의 손자인 바투다. 이 시기에 고려는 바투의 작은 아버지이자 몽골 제국의 제2대 칸인 오고타이 칸의 침입을 받았다. 한국사와의 연결은 역사의 흐름을 이해하는 데 도움을 주니 살짝 알아두자. 몽골의 지배를 받던 슬라브인들은 모스크바 공국을 중심으로 자치권을 얻어 힘을 키워 나가다가 이반 3세 때 드디어 몽골 지배를 종식시켰다(1480).

한편 우크라이나는 리투아니아와 폴란드에 이어 폴란드·리투아니아 연방의 지배를 받으면서 영토 대부분이 폴란드에 속하게 되었다. 그런 가운데 우크라이나는 코사크 수장국으로 성장하여 같은 그리스정교 국가이자 모스크바 공국을 이은 루스 차르국과 손을 잡고 폴란드·리투아니아 연방의 지배에서 벗어나려 했다. 이 과정에서 코사크 수장국과 루스 차르국이 맺은 조약이 1654년의 페레야슬라프 조약(Pereiaslav Agreement)이다. 오늘날 러시아 학자들은 이 조약에 의해 우크라이나가 차르에게 충성을 맹세하고 러시아에 귀속한 것으로 보는 반면, 우크라이나는 단기간에 이어진 군사 동맹이었다고 주장하며 하나의 조약을 두고도 두 나라가 엇박자로 갈등을 빚고 있다. 게다가 루스 차르국은 1667년에 이 조약을 어기고 폴란드·리투아니아 연방과 평화 협정을 맺어 드니프로강을 기준으로 우크라이나를 분할하여 서쪽은 폴란드가, 동쪽은 러시아가 차지했다. 한편 1772년에 폴란드·리투아니아 연방이 약해져 오스트리아, 프로이센, 러시아에 의해 해체될 때, 폴란드가 다스리던 지역도 루스 차르국을 계승한 러시아 제국에게 합병된다. 그리고 일부 지역을 오스트리아·헝가리 제국이 차지한다.

이러한 역사 흐름 속에서 우크라이나의 서부는 오랜 폴란드 지배의 영향으로 로마 가톨릭 종교를 비롯한 서방 문화를 갖게 되었고 우크라이나 언어를 사용했다. 반면, 동부와 남부는 그리스 정교 아래 친러시아 문화권으로 80%가 러시아어를 사용하게 되었다. 1917년에 러시아 혁명이 일어나자 우크라이나에 독립할 기회가 왔다. 우크라이나의 사회주의를 따르는 민족주의자들은 1917년 11월에 우크라이나 최초의 공화국인 우크라이나 인민 공화국을 수립했다. 그리고 1920년에는 동서 우크라이나의 통일을 달성했다. 하지만 그 기간은 매우 짧았다. 우크라이나 독립 전쟁에서 레닌이 이끄는 러시아 볼셰비키 군대에 패했기 때문이다. 러시아는 이 전쟁으로 우크라이나를 폴란드 등의 지배에서 해방시킨 것으로 평가하지만, 우크라이나 역사가들은 우크라이나 인민 공화국이 볼셰비키에 맞서다가 실패한 독립 전쟁으로 기록하고 있다. 레닌은 1922년에 소비에트 연방 공화국을 수립했는데, 여기에는 독립 전쟁에서 패한 우크라이나 인민 공화국 대신에 소련의 입김을 받아 우크라이나를 대표하게 된 우크라이나 소비에트 사회주의 공화국이 소속되었고 이대로 소련이 해체되는 1991년까지 러시아와 함께 연방을 이루었다.

이러한 역사적인 갈등에 더하여 우크라이나 사람들이 러시아를 적대하게 된 큰 사건이 소련에 속해 있던 시기에 일어났다. 1930년대에 '홀로도모르'라는 대기근이 일어나서 무려 700만~1천만여 명이 굶주림 끝에 죽어 나갔다. 또 제2차 세계 대전이 일어나 독일의 점령지가 된 후에는 유대인을 포함한 800만 명이 죽음에 이르는 아픔도 겪었다.

## 독립한 우크라이나의 오렌지 혁명

1991년 소련 해체로 독립국이 된 우크라이나는 전도양양한 국가의 모습을 꿈꿨다. 유럽 국가 중 두 번째로 영토가 큰 우크라이나는 '유럽의 빵 바구니'라고 불릴 정도로 세계에서 손꼽히는 밀 수출국이자 농업 생산국이다. 러시아와 우크라이나 전쟁 상황에서 밀 수출이 어려워지자 곧바로 세계 밀 가격이 급상승한 것만 보아도 우크라이나의 농업이 세계 식량에 미치는 영향을 잘 알 수 있다. 또 우크라이나는 독립 후 소련 시절부터 보유하고 있는 무기로 세계 5위의 군사 대국에 올랐다. 이것은 소련의 서기장이었던 스탈린이 중공업을 추진하기 위한 경제 개발 5개년 계획(1928~1932) 과정에서 군수 공장을 우크라이나에 집중 건설했기 때문이다. 소련을 대표하는 핵심 사업의 400여 개 공장이 우크라이나에 세워졌다. 그뿐만이 아니다. 1986년에 악명 높은 방사능 유출 사건이 일어난 체르노빌 원자력 발전소 역시 우크라이나에 있으며, 핵미사일 176기와 핵탄두 1,800여 기, 전략 핵폭격기 40대를 보유한 세계 3위의 핵보유국이기도 하다.

그러나 곧 가혹한 현실에 부딪히게 되었다. 통제된 계획 경제 아래서만 살아온 우크라이나는 국제 경제 흐름을 따라가지 못했고 권력의 핵심에 있는 사람들의 부정부패가 매우 심했다. 우크라이나는 결국 인플레이션이 1만 %를 넘으면서 물가는 폭등하고 유럽의 최빈국으로 전락하고 만다. 핵탄두를 유지하거나 관리할 능력도 없어 핵무기를 다른 나라에 팔려고 하자 미국과 러시아가 이에 제동을 걸었다. 결국 강대국의 강력 권고에 의해 핵무기를 폐기하기로 한다. 이를 위해 1994년에 미국, 영국, 러시아가 참석한 가운데 우크라이나와 같은 처지에 있는 벨라루스, 카자흐스탄과 함께 부다페스트 양해 각서를 체결했다. 보유하고 있는 핵무기를 모두 러시아에 넘기는 대신 핵무기 하나당 100만 달러로 계산하여 미국에게서 2억 달러의 보상을 받기로 했다. 핵을 폐기한 이후에는 우크라이나의 독립과 주권, 국경선이 보장되고 미국, 영국, 러시아로부터 핵 공격을 받지 않으며, 만약 안보가 위협받는 상황이 발생하면 서명 당사국이 이를 협의해야 한다는 내용을 약속했다. 이를 생각하면 2022년 러시아의 우크라이나 침공은 부다페스트 양해 각서를 완전히 휴지 조각으로 만든 행위라고 할 수 있다.

한편 우크라이나는 핵 폐기 후 2000년대에 들어 친 서방 대통령이 당선되면서 유럽 연합과 나토 가입을 추진했다. 그러나 러시아가 가만있지 않았다. 그럴 수밖에 없는 것이, 우크라이나에 나토의 핵미사일이 전진 배치되면 러시아의 모스크바와 거리가 매우 가까워져서 러시아의 안보가 크게 흔들리게 된다. 러시아는 이를 좌시할 수 없었고, 우크라이나의 유럽 연합 및 나토 가입을 저지하기 위해 우크라이나 침공을 저질렀다. 러시아로서는 다행스럽게도 러시아와 국경을 맞대고 있고 러시아인들이 많이 사는 우크라이나 동부의 도네츠크주 주지사이자 총리를 역임한 친러 성향의 빅토르 야누코비치(1950~ )가 박빙의 승부 끝에 우크라이나 대통령에 당선(2004)되었다. 러시아는 안도했지만 곧 조직적인 부정 선거인 것이 드러나 우크라이나에서 '오렌지 혁명(Orange Revolution)'이 일어났다. 주로 서부 출신의 시민들이 재투표를 요구하며 오렌지 깃발과 옷을 입고 평화 행진을 하면서 총파업과 시민 불복종 운동을 전개했다.

그 결과 치러진 재선거에서 친 서방 후보인 빅토르 유셴코(1954~ )

» 오렌지 혁명에 참여한 시민들이 행진하는 모습(출처: 위키피디아) «

가 당선되었다. 이 혁명을 오렌지 혁명이라고 부르는 이유는 유셴코의 지지자들이 선거 캠프에서 사용했던 오렌지 색을 시위 군중들이 사용하면서 비폭력 시위를 했기 때문이다.

## 유로마이단 혁명과 반러 정서

유셴코 대통령은 재임 기간 내내 유럽 연합(EU)과 나토 가입을 매우 적극적으로 추진했다. 러시아는 우크라이나의 가입을 막기 위해 경제적 제동을 걸기 시작했다. 러시아는 천연가스 매장량 세계 1위 국가로, 세계 최고의 천연가스 판매국이다. 그들이 천연가스를 가장 많이 수출하는 곳이 유럽이었는데, 유럽까지 천연가스를 공급하는 가스관이 평지가 많은 우크라이나에 소련 시절부터 집중 가설되었다. 소련 당시에는 연방에 속한 국가이기 때문에 가스 값을 유럽 공급 가격의 4분의 1 이하인 매우 싼 값에 공급해 주었는데, 우크라이나가 유럽 연합과 나토에 가입하려고 하자 러시아는 공급 가격을 유럽 수준으로 올리겠다고 통보했다. 그러더니 2009년에는 국제금융위기로 우크라이나의 외환 보유액이 급감하는 시기에 밀린 가스비 부채를 갚으라고 독촉하면서 가스관을 잠가 버렸다. 이 해에 유럽에서만 가스 공급 부족으로 수백 개의 공장이 문을 닫았고 추운 겨울에 수백만 명이 난방을 하지 못했다.

우크라이나가 유럽 공급 가격 수준으로 올려 주는 것으로 사태는 수습되었지만, 경제적 제재는 우크라이나 대통령 선거에 큰 영향을 미쳤다. 러시아와 사이가 멀어지면 어려운 일이 많겠다는 여론이 일어나자, 결국 2010년 선거에서 다시 친러 경향의 야누코비치가 당선이 되었다. 우크라이나의 채무액을 갚기 위해 야누코비치는 비교적 적은 금액에도 기업의 구조 조정까지 요구하는 서방의 유럽 연합 대신에 러시아의 도움을 받기로 했다. 러시아는 150억 달러를 조건 없이 원조하겠다는 제의와 더불어 천연 가스 가격을 다시 인하해 주겠다고 했기 때문이다. 그 대신, 그동안 추진해 왔던 우크라이나의 유럽 연합과 나토 가입을 없던 일로 돌리기로 했는데 이것이 국민의 커다란 반발을 가져왔다.

부정부패도 심했던 야누코비치를 퇴임시키기 위해 2013년에 서부쪽 시민들 100만여 명이 모여 우크라이나 수도 키이우 중심부에서 극렬한 시위인 '유로마이단(Euromaidan)'을 일으켰다. 9년 전에 일어난 오렌지 혁명의 재현이라고도 볼 수 있는데, 이번에는 100명이 사망하고 2,500여 명이 부상을 입었으며 시청사를 장악하는 등의 무장 시위도 있었다. 이 시위를 지칭하는 '유로(Euro)'는 친 유럽적 열망을 나타내는 것이고 '마이단(Maidan)'은 민족주의를 의미하는 것이다. 야누코비치 정권은 시위대를 향해 무자비한 발포를 했고 그럴수록 시위는 더욱 거세졌다. 결과는 시민의 승리였다. 그는 초라한 모습으로 하야하여 러시아로 망명 길에 올랐다.

그러자 러시아는 전격적으로 흑해 북부 연안에 위치한 크림반도 합병에 나섰다. 우선 국가 식별은 어려웠지만 러시아군으로 추정되는 무장 세력이 크림반도의 주요 시설과 주요 항구인 세바스토폴을 장악했다. 크림반도는 주민의 약 58%가 러시아계이고 24%가 우크라이나계이다. 나머지는 타타르인 등이 살고 있는 곳이다. 2014년 3월 11일에 크림 자치 공화국이 수립되고 5일 만인 3월 16일에 러시아와의 합병을 위한 주민 투표가 실시되었다. 결과는 찬성 96.6%로 러시아에 합병되었다. 원래 소련 땅이었던 크림주는 1954년에 소련 서기장 흐루쇼프에 의해 페레야슬라프 조약 300주년을 기념하는 표시로 우크라이나 소비에트 사회주의 공화국에 넘겨졌었다. 크림반도에 있는 세바스토폴 항구는 우크라이나의 곡물을 수출하는 주요한 항구일 뿐 아니라 얼지 않는 항구가 거의 없는 러시아에게는 전략적으로 매우 중요한 곳이다. 우크라이나와 소련의 협약에 의해 2042년까지 항구에 러시아 함정을 주둔시킬 수 있었는데, 러시아가 협정을 깨고 합병을 해 버린 것이다. 미국과 유럽 연합 등 서방은 경악했고 크림반도를 다시 돌려줄 것을 요구하며 맹렬한 비난을 퍼부었지만, 러시아는 꿈쩍도 하지 않았다.

## 러시아가 밝힌 우크라이나 침공 이유, 그리고 굴복하지 않는 우크라이나

지금까지 우크라이나의 역사 연대기를 통해 우크라이나인들의 반러 감정이 클 수밖에 없음을 알 수 있다. 그런데도 한술 더 떠 러시아는 2022년 2월 24일, 국경 지대에 집중 배치되어 있던 군단을 우크라이나의 동부, 북부, 남부로 동시에 진격시키는 대대적인 침공을 단행하여 2024년 현재까지 많은 사람들을 죽음으로 몰아넣고 있다. 특히 전쟁 기간 동안 수없이 많은 민간인이 희생되었다. 1,000여 명의 시민이 피신해 있는 마리우풀 도시의 극장에 포격을 가하여 300여 명의 어린이들이 삶을 잃었고 도시의 90%가 파괴되었다. 우크라이나 측 발표에 의하면 하루 전쟁 비용만 1억 2,000만 유로(약 1,720억 원)에 달한다. 러시아는 도대체 왜 이런 무모한 전쟁을 일으킨 것일까?

러시아의 푸틴 대통령은 침공 전 대국민 담화문을 통해 침공의 이유를 밝혔다. 가장 큰 이유는 이미 알아본 바와 같이 우크라이나가 유럽 연합과 나토에 가입하는 것을 막기 위해서다. 러시아는 1990년에 서방과 맺은 협약에서 독일의 통일을 승인하는 대신 유럽 연합이 더 이상 소련 쪽으로 동진하지 않기로 했음에도, 계속 유럽 연합의 동유럽 가입국이 늘어나고 마지막 보루와 같은 우크라이나까지 가입을 눈앞에 두고 있는 것을 맹렬히 비난했다. 푸틴은 최근 프랑스와 가진 회담에서 러시아가 핵보유국임을 강조하면서 우크라이나의 가입이 계속 진행된다면 제3차 대전으로 갈 수 있음을 서방 측에 노골적으로 경고했다. 이러한 러시아의 주장에 대해 서방 측은 동진을 하지 않겠다는 협약의 기준은 베를린 장벽이었다고 반박했다. 이렇게 동서가 첨예하게 맞서고 있는 모습에서 2020년대의 세계가 제2차 세계 대전 종전 후의 상황과 같은 '신냉전 시대'에 처해 있음을 알 수 있다. 우크라이나의 젤렌스키 대통령은 국제 사회를 향해 우크라이나에 도움을 달라고 절실히 요청하고 있다. 특히 그는 대통령에 취임한 후 헌법에 유럽 연합과 나토에 가입한다는 내용을 넣는 개헌을 추진할 정도로 친 서방적인 대통령이다.

한편 러시아 푸틴 대통령이 밝힌 또 다른 침공 이유는 우크라이나 정부군이 투입되어 격전을 벌이고 있는 동부 돈바스 지역을 보호하는 '탈군사'를 위한 '특별 군사 작전' 때문이라는 것이다. 돈바스 지역에서는 2014년에 도네츠크 인민 공화국과 루간스크 인민 공화국이 자치 공화국을 선포했지만 우크라이나는 결코 돈바스 지역을 포기할 수가 없었다. 이 지역은 소련 시절에 중공업을 성장시키는 과정에서 200만여 명의 러시아인이 이주했던 곳이면서, 우크라이나 GDP의 4분의 1을 차지하는 우크라이나 최대 광공업 지대가 있기 때문이다. 반군과 우크라이나 정부군이 격전을 벌이면서 사망자 1만 4,000여 명, 유민 100만여 명이 발생하자 러시아와 유럽 국가들이 나서서 중재를 했다. 민스크 협약을 분쟁 당사국들과 함께 1차와 2차에 걸쳐 맺었는데, 푸틴의 주장에 따르면 우크라이나가 그 내용을 지키지 않고 정부군 공격을 계속하고 있다는 것이다. 우크라이나에서 분리를 주장하는 반군은 지난 2014년, 러시아가 지원한 미사일로 말레이시아 항공 17편을 격추시켜 280명의 승객과 15명의 승무원 등 탑승객 전원이 숨진 참사를 일으키기도 했다.

러시아는 2022년 2월에 도네츠크 인민 공화국과 루간스크 인민 공화국의 독립을 승인하고 2월 24일 새벽, 러시아 병력 10만여 명을 진군시켜 우크라이나에 대한 침공을 감행했다. 우크라이나는 지난 8년 동안 정부에 맞서는 반군 세력을 저지하기 위해 정부군을 투입하고 있었는데, 러시아가 끊임없이 군사비용과 무기를 공급하더니 이제는 공식적으로 그들의 독립까지 승인한 것이다.

푸틴이 '특별 군사 작전'의 이름으로 밝힌 또 하나의 침공 원인은 '탈나치화'였다. 과거 나치 독일에 협력하여 우크라이나 내 유대인 집단 학살을 도맡았던 민족주의자들이 신나치즘에 젖어 저지를 수 있는 학살을 막겠다고 주장했다. 푸틴의 주장에 의하면, 민족주의자들이 우크라이나인들로만 구성된 우크라이나 공화국을 만들기 위해 크림반도 합병을 찬성한 러시아계 사람들을 학살할 수 있기 때문에 이러한 행위를 사전에 막겠다는 것이다. 그와 관련하여 특히 우크라이나 국가방위군 소속 특수부대인 아조프 연대를 지목했다. 아조프 연대는 2014년

마리우폴에서 신나치즘과 극단 민족주의자 성향의 사람들 1,000여 명이 모여 조직된 민병대이다. 우크라이나 정규군에 편입된 이후에는 마리우폴을 사수하기 위해 최후까지 싸우는 활약을 펼쳤다. 한때 러시아가 주장하는 신나치즘적인 행동을 한 적이 있는 것으로 보고되었지만, 지금은 정규군에 편성되어 전선에서 용감히 싸우는 부대라는 것이 우크라이나 측 주장이다.

러시아의 침공이 일어났을 때 해외에 있던 2만 2,000여 명의 우크라이나 유학생이 조국을 지키기 위해 귀국하기도 했다. 러시아에 비해 무기나 병력이 열세였기 때문에 시민들은 SNS로 화염병을 만드는 방법까지 익히며 탱크를 막아내기도 했다. 반면 러시아의 젊은이들 사이에서는 징집을 당하지 않기 위해 신체장애를 만드는 방법이 SNS에 떠돌거나 해외로 도피하는 인원이 늘어났다. 러시아는 전쟁 전에 사이버 공격을 벌여 우크라이나 공공 기관 서버를 마비시키고 통신을 두절시키면서 심리전과 사이버전을 병행했다.

침공 초창기에는 우세한 러시아의 화력과 병력에 밀려 우크라이나에 매우 불리했지만, 애국심으로 똘똘 뭉친 우크라이나인들은 거대 제국 러시아의 침공을 막아 내기 위해 목숨을 바쳐 싸우고 있다. 미국을 비롯한 국제 사회도 단호한 경제 제재 조치를 통해 전쟁을 멈추라고 러시아에 압력을 넣고 있지만 전선은 교착 상태이고, 드론까지 동원된 현대전이 계속되며 앞을 내다볼 수가 없는 상태이다. 러시아의 우크라이나 침공은 핵전쟁으로 갈 수 있기 때문에 지역 분쟁이 얼마나 세계 평화를 위협하는가를 알 수 있다. 지금 이 시간에도 전쟁의 고통과 포화 속에 가족을 잃었음에도 결코 포기하지 않고 반드시 물리치겠다는 의지로 싸우고 있는 우크라이나 사람들을 위해 하루 빨리 평화 협정이 맺어지기를 희망한다.

## 소비에트 연방 시기에 우크라이나가 겪었던 대기근, 홀로도모르

레닌에 이어 소련의 서기장이 된 스탈린은 소련의 중공업 정책을 추진하면서 강제로 우크라이나 농민들의 농업 방식을 집단 농장으로 바꾸었다. 이 집단 농장을 '콜호스'라고 한다. 소련은 풍요로운 우크라이나 남부 지방에서 생산된 농산물을 수출하고 들어온 자금을 중공업 시설에 집중적으로 쏟아부었다. 전통적으로 소농 형태였던 우크라이나 농민들은 이 집단 농장 제도에 반대하여 농사를 짓지 않겠다고 저항했다. 생산량이 줄어들자 당국은 농장을 습격하여 식용은 물론 종자용으로 보관된 씨앗까지 모조리 빼앗아 갔다. 농민들은 더욱 강렬히 저항하여 집단 농장에 소를 내놓느니 차라리 도살하는 것이 낫다면서 소를 없애버리기도 했다.
결과는 참담했다. 땅에 뿌릴 씨앗도 없고, 소가 없어서 제대로 농사를 짓지 못하니 생산성이 급격히 떨어졌다. 마침내는 1932~1933년 사이에 수백만 명이 굶어 죽는 '홀로도모르'가 일어났다. 홀로도모르는 우크라이나어로 굶어 죽는 '아사'를 의미한다. 농민들은 쥐, 뱀, 벌레, 나무껍질을 먹으며 간신히 버티기도 하고 심지어 인육까지 먹는다는 흉흉한 소문이 돌았다. 아사 위기에서 간신히 벗어난 농민은 더 이상 굶주림을 견딜 수 없어 고향을 떠나 해외로 이주했다. 홀로도모르 기간 동안

» 홀로도모르(대기근) 당시 굶어 죽은 사람들의 시체가
우크라이나의 하르키우시 거리에 널브러져 있다(출처: 위키피디아). «

250만~350만 명에 가까운 사람들이 목숨을 잃을 정도였다. 그런데도 당국은 사태를 숨기기에 급급했다. 1941년 제2차 세계 대전에서 독일이 독·소 불가침 조약을 어기고 소련으로 진군하여 우크라이나로 들어왔을 때 일부 우크라이나인들이 나치 독일군을 해방자로 반갑게 맞아들인 것은 대기근을 일으킨 당국에 대한 원망이 컸기 때문이다.

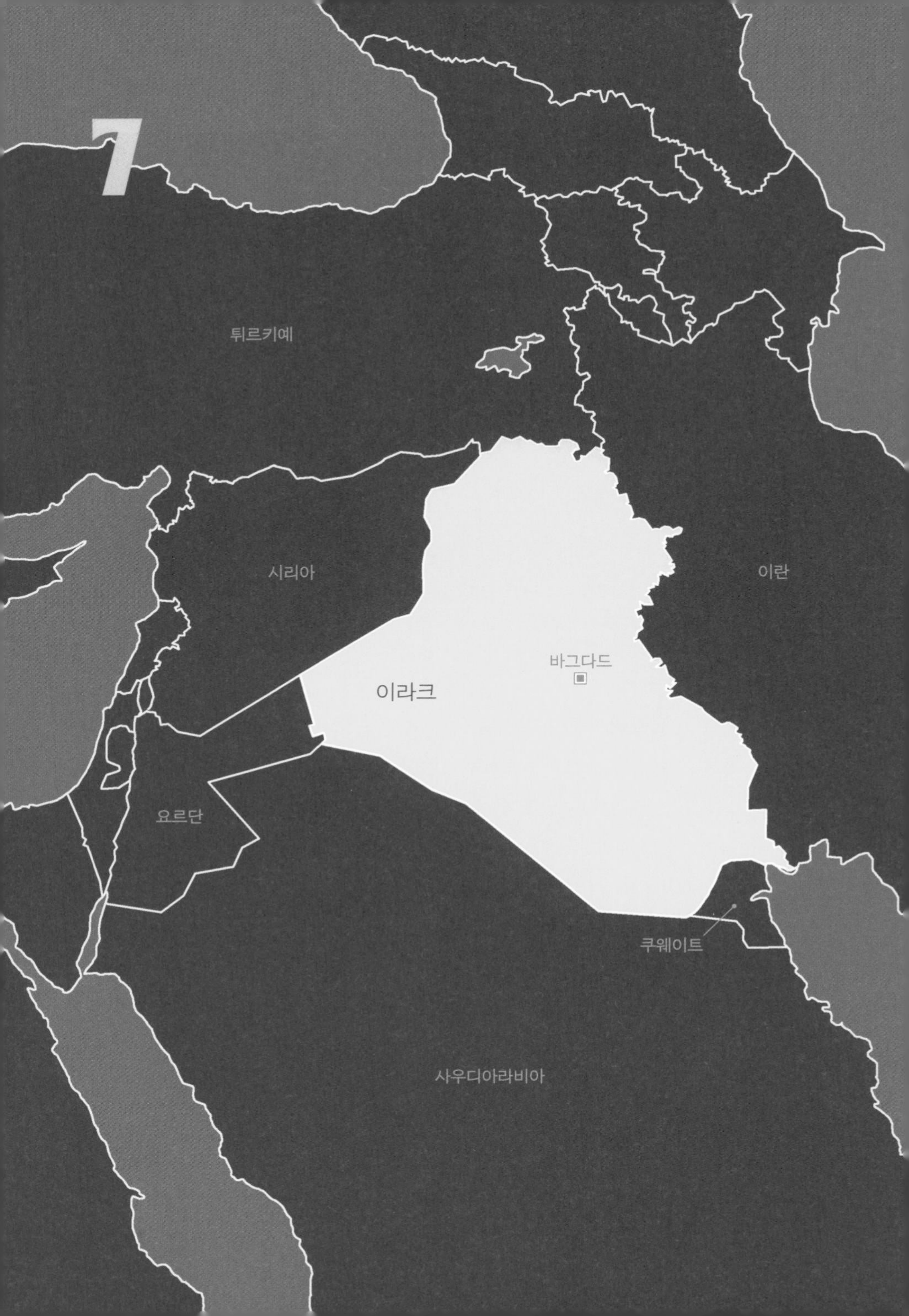
7
튀르키예
시리아
이란
바그다드
이라크
요르단
쿠웨이트
사우디아라비아

# 풍부한 석유 자원을 둘러싼 국제전의 희생양이 된 이라크

**이라크 관련 연표**

1932 이라크 독립
1980 이란 · 이라크 전쟁 발발(~1988)
1990 제1차 걸프 전쟁(~1991) 발발
2001 9 · 11 테러 발생
2003 이라크 전쟁(제2차 걸프전) 발발

**그때 우리는**

1932 이봉창 의거, 윤봉길 의거
1980 5 · 18 광주 민주화 운동
2001 인천 국제 공항 개항
2003 노무현 정부 출범

한 장의 사진이 전 세계 사람들의 가슴을 먹먹하게 만들었다.
한 사진작가가 SNS에 이라크의 고아원에서 찍은 사진 한 장을 올렸는데,
전쟁으로 엄마를 잃어 한번도 엄마를 본 적이 없는 이라크 어린이가
땅에 커다랗게 엄마를 그린 후 그림 안에서 잠든 모습이 담겨 있다.
이 사진을 통해 이라크에서 일어난 거듭된 전쟁의 비극을 느낄 수 있다.
전쟁 기간 동안 수많은 어린이들이 가족을 잃는 아픔을 겪었다.
미국의 침공으로 시작된 이라크 전쟁 기간 동안 사망한 이라크 민간인은
최소 20만 명에서 최대 100만여 명이고, 그중 70% 이상이
어린이와 여성들이었다.

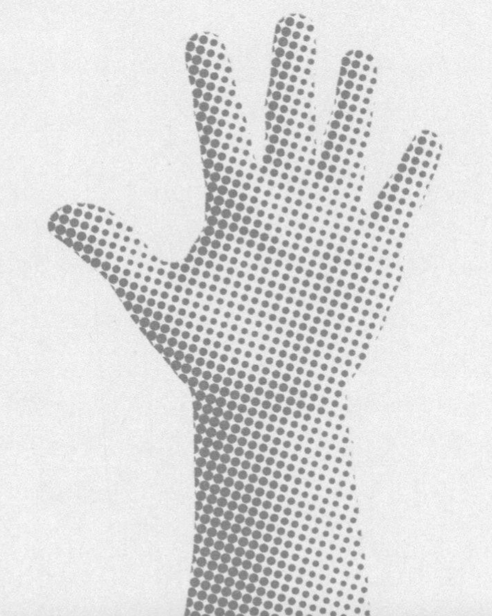

## 찬란한 고대 문명의 발원지에서 거듭되는 전쟁

이라크는 서아시아를 대표하는 오랜 역사를 간직한 국가이다. 인류 4대 문명 중 가장 먼저 발전한 메소포타미아 문명을 일으킨 수메르인들이 이라크 지역에서 찬란한 문명의 씨앗을 뿌렸다. 인류 최초의 수레, 최초의 달력, 최초의 학교가 모두 수메르인들에 의해 시작되었고 쐐기 문자와 60진법, 법전을 만들었다. 수메르인들이 만든 우르남무 법전은 인류 역사에서 가장 오래된 법전이고, 기원전 18세기에 메소포타미아 지역을 통일했던 바빌로니아 왕국의 함무라비 대왕이 제정한 함무라비 법전은 282개조에 달하는 성문법으로 '눈에는 눈, 이에는 이'라는 복수법이 유명하다. 이라크가 위치한 곳은 서아시아 최초의 통일 왕조인 아시리아와 세계 7대 불가사의로 유명한 공중 정원을 건설한 신바빌로니아가 있던 지역이자, 7세기 이슬람 제국이 성립한 이후 가장 빛나는 황금 문화 시기였던 아바스 왕조의 수도인 바그다드가 있어 매우 번성했던 곳이다. 근대에 들어 오스만 제국(현재 튀르키예 공화국)의 지배를 받던 이라크는 1932년에 독립했다. 현대의 분쟁사를 이야기하기 전에 이라크의 역사를 살펴보는 이유가 궁금하지 않은가? 왜냐하면 안타깝게도 이라크가 소장하고 있던 고대의 귀중한 문화재들이 미국이 침공한 전쟁 시기에 무참하게 약탈을 당했기 때문이다. 지난 2004

년에 우리나라 코엑스에서 개최된 세계박물관대회에 참가한 이라크 국립박물관의 도니 조지 관장이 직접 하소연한 증언이다. 전쟁 기간 동안 약 1만 5,000여 점의 문화재가 약탈되었는데 되찾은 것은 고작 5,000여 점 뿐이라고 한다.

2003년 4월 7일 동도 터오지 않은 오전 5시, 미군의 탱크가 이라크 국립 박물관의 문을 부수고 들어와 박물관 직원들 눈앞에서 문화유산을 파괴하고 약탈해 갔다. 심지어 인류의 문화유산인 우르의 지구라트에 군사기지를 만들고 수많은 쐐기문자 점토를 부수어 기지 건설에 사용하기도 했다. 또 전쟁 기간 동안 세계 최초의 서사시인 길가메시 서사시의 석판이 몰래 미국으로 유출되어 경매에 팔려 나가는 기막힌 일까지 벌어졌다.

이라크는 미국의 침공을 받기 전에도 오랜 기간에 걸쳐 이웃 나라들과 큰 전쟁을 치렀다. 1980~1988년까지는 이란 · 이라크전으로 장기전을 벌였고, 1990년에는 이라크가 쿠웨이트를 침공했으며, 1991년에는 쿠웨이트 침공에 대한 다국적군의 응징인 제1차 걸프전을 겪었다. 또 2003년에 미국의 침공으로 일어난 이라크 전쟁으로 많은 피해를 입었는데 이 전쟁을 제2차 걸프전이라고 부른다. 전쟁 이름에 '걸프'가 들어가는 것은 페르시아만에서 일어난 전쟁이기 때문인데, 영어로 '만'을 걸프(Gulf)라고 한다.

특히 이란과 이라크는 고대 시대부터 라이벌 관계였다. 이라크가 바빌로니아 왕국을 세웠을 때는 이란이 지배를 당했고, 반대로 이란이 흥하여 아케메네스 왕조 페르시아 또는 사산 왕조 페르시아를 세웠을 때는 이란이 이라크를 지배했다. 두 나라가 본격적으로 등을 돌리게 된 것은 이슬람교가 성립된 후이다. 이슬람교는 후계자에 대한 갈등이 일어나 수니파와 시아파로 나뉘게 되었다. 이슬람교도의 약 90%가 수니파이고 약 10%가 시아파인데, 사우디아라비아는 수니파를 대표하는 종주국이고 이란은 시아파의 종주국이다. 이라크는 시아파가 전 인구의 3분의 2, 수니파가 3분의 1을 차지하고 있다.

이란 · 이라크 전쟁은 사담 후세인 대통령이 집권한 후 일어났다. 이라크는 1958년에 군사 쿠데타가 일어나 왕정이 무너지고 공화국이 된 이래로 1979년부터 수니파 중에서도 강경파에 속하는 사담 후세인 대통령이 집권했다. 후세인 대통령이 집권한 바로 그해는 이란에서 혁명이 일어나 팔레비 왕조가 무너지고 율법 학자 호메이니(1902~1989)를 중심으로 이슬람 율법에 의한 시민 혁명이 성공한 해였다. 15년간의 해외 망명 생활을 마치고 돌아와 국가 수반이 된 호메이니는 이란에 이어 이웃 나라에도 시아파 이슬람 혁명 이념을 적극적으로 전파하려고 했다. 그는 이란과 국경을 맞대고 있는 이라크의 시아파 교도들에게 수니파 정권의 권위주의적인 지배 체제에서 해방되어야 한다고 일깨웠다. 이에 분노한 후세인 대통령은 두 나라 사이의 국경 분쟁 요소인 샤트 알 아랍 수로의 영유권을 주장하는 한편, 1971년 이래로 이란의 팔레비 정권이 걸프 지역의 안보를 구실로 주둔하고 있던 아부무사, 소툰브, 대툰브 등 3개 섬에서 이란군의 철수를 요구했다. 그리고 1980년 9월 22일에 이란에 대한 선제공격을 감행하여 전면전이 일어나게 된 것이다.

## 이란 · 이라크 전쟁부터
## 이라크의 쿠웨이트 침공까지

약 8년간 이어진 기나긴 전쟁 동안 두 나라는 100만여 명의 국민이 죽고 다치는 인명 피해를 보았고 국가 경제와 기간 시설은 파탄 지경에 이르렀다. 전쟁 비용만 각기 3천억 달러를 소모했으니 말이다. 두 나라가 전쟁에 국제법상으로 사용이 금지된 화학 무기를 사용하는 바람에 쿠르드족 수천 명이 희생되는 등 민간인 피해가 매우 컸다. 이라크는 전쟁 기간 동안 미국을 비롯한 서방의 지원을 받으면서 군사력을 확대해 나갔다. 전쟁이 끝난 1988년에는 100만 명의 군인을 보유하게 되어 세계에서 4번째 규모의 군대를 확보하게 되었다. 이라크는 5,550대의 탱크와 900대의 전투기를 보유하여 이란 군사력의 6배에 달했다.

하지만 이란은 전술에 능했다. 지휘관들이 탁월한 전략을 구사하여 산악전, 습지전, 야간 전투, 침투와 매복에서 우세를 잡으면서 전쟁 기간 내내 그 어느 쪽도 승세를 오래 잡지 못했다. 미국은 1980년대만 해도 전폭적으로 이라크를 지원했다. 이란이 행한 미국 인질 사태 때문이다. 미국 인질 사태란 미국이 이슬람 혁명 과정에서 쫓겨난 팔레비 국왕의 신병 인도를 거부하자 이란의 과격 학생 시위대가 미국 대사관을 점거하여 미국인 인질 70여 명을 붙잡고 놓아주지 않았던 사건을 말한다. 반면 이란의 유조선은 미군의 보호를 받지 못했기 때문에 많은 국가들이 이란과의 거래를 중단했고, 이라크가 이란의 석유 시설을 집중 공격하면서 막대한 경제적 손실을 입었다. 이란의 석유 및 무역 수출은 55%나 감소했고 인플레이션은 50%에 달하는가 하면, 실업률은 끝없이 치솟았다. 이라크의 경제 사정도 이에 못지않았다. 시간이 지날수록 장기적인 소모전은 두 나라의 국가 경제를 파탄에 이르게 했고 이들의 화학 무기 사용에 대한 국제 여론은 들끓었다. 결국 두 나라는 1988년에 유엔 안전보장이사회의 권고를 받아들여 정전을 결정했다.

그렇다면 이 전쟁의 승자는 어느 쪽일까? 두 나라는 각각 승자임을 주장했지만 이란보다는 이라크가 더 승자 쪽에 가까웠다. 하지만 오랜 전쟁에 들어간 막대한 전쟁 비용으로 국가 경제는 매우 암울한 상태였다. 전쟁은 또 다른 전쟁을 부른다. 후세인 대통령은 전쟁으로 인한 국민의 경제적 곤란을 해결하고 자신의 장기 집권에 대한 불만을 잠재우기 위해 이라크와 국경이 붙어 있는 쿠웨이트 침공을 계획한다. 쿠웨이트는 원래 오스만 제국과 영국의 식민지 시절만 하더라도 이라크 영역인 바스라 지방에 속했다. 그런데 영국이 이라크와 쿠웨이트를 분리 독립시키면서 이라크를 내륙국으로 만들었다. 쿠웨이트는 이란·이라크 전쟁 동안 OPEC(석유수출기구)기준을 지키지 않고 원유를 초과 생산하여 원유 가격을 떨어트림으로써 전쟁 비용 마련에 여념이 없던 이라크를 궁지에 몰아넣었다. 이러한 것들에 불만을 갖고 있던 후세인 정권은 전쟁의 구실을 마련하기 위해 말도 되지 않는 조건을 내걸었다. 예를 들면 이라크가 쿠웨이트에 빚진 외채 100억 불을 탕감하라, 알짜배기 유전인 루마일라 유전을 이라크 영토로 넘겨라, 부비얀섬과 와르바섬을 이라크에 할양하라는 등의 요구였다. 그리고 쿠웨이트가 이를 수용하지 않자 1990년 8월 2일 새벽 2시, 전격적으로 무력 침공을 감행하여 군사력이 취약한 쿠웨이트를 합병해 버렸다.

당연히 국제 사회는 분노했다. 무려 42개 국가가 다국적군을 구성해서 1991년 1월 17일 새벽 2시 38분에 '사막의 폭풍(Operation Desert Storm)' 작전으로 알려진 공습을 시작으로 5주 후에는 지상전을 통한 전면전에 나섰다. '사막의 폭풍 작전'에는 제2차 세계 대전 종전 이후 개발되어 무기 창고에 잠들어 있던 최첨단 무기가 총동원되었다. 미국이 세계 최초로 개발한 F-117 스텔스 공격기와 토마호크 미사일이 사용되었을 뿐 아니라 패트리어트 미사일에 요격된 이라크 공군은 거의 힘을 쓰지 못했다. 제1차 걸프전에서 가장 많은 군대를 파견한 나라는 69만 7,000명으로 미국이었고, 우리나라도 5억 달러의 전쟁 지원금을 분담하고 314명의 의료 수송 부대를 파견했다. 이라크는 지상전이 시작된 지 5일 만에 대량살상무기 폐기와 생화학 · 핵무기 개발 방지 조건 등이 포함된 유엔 안전보장이사회가 채택한 결의를 무조건 받아들이면서 제1차 걸프전은 끝이 났다.

## 9 · 11 테러로 시작된 미국의 이라크 침공

제2차 걸프전이라고 불리는 이라크 전쟁은 제1차 걸프전이 일어난 지 12년만인 2003년에 일어났다. 미국은 왜 또다시 이라크를 침공한 것일까? 지금부터 그 원인을 살펴보자.

공교롭게도 미국이 이라크와 전쟁을 벌일 당시의 대통령은 모두 부시였다. 아버지 조지 부시(재임 1989~1993)가 1991년에 제1차 걸프전을 일으켰고, 아들 조지 W. 부시(재임 2001~2009)가 2003년에 제2차 걸프전으로 불리는 이라크 전쟁을 일으켰다. 이라크 전쟁의 중요한 배경으로 2001년에 일어난 9 · 11 테러를 들 수 있다. 사우디아라비아 출신의 이슬람교 근본주의자인 오사마 빈 라덴이 '알카에다'라는 국제 무장 테러 조직을 통해 미국에 엄청난 피해를 입힌 테러 사건이다. 조지 W. 부시 대통령은 9 · 11 테러를 응징하기 위해 아프가니스탄 침공을 감행하여 오사마 빈 라덴을 보호해 주던 탈레반 정권을 붕괴시켰다.

그리고 다음 해인 2002년 1월 29일에 미국은 테러를 지원하는 '악의 축(Axis of Evil)'이 되는 나라들로 이라크, 이란, 북한을 지목하면서 강하게 비판했다. 특히 이라크에 대해서는 그들이 10년 넘게 탄저균과 신경가스, 핵무기 개발을 계획해 왔으며 독가스를 사용하여 수천 명의 자국민을 살해했고, 국제 사찰에 동의했으면서도 사찰단을 쫓아냈다고 맹렬히 비판했다. 그러자 국제 사회는 미국이 곧 이라크를 상대로 또 한 차례 전쟁을 일으킬 것이라고 추정했다. 아니나 다를까, 연설을 한 다음 해인 2003년에 이라크가 분명히 9·11 테러와 아무런 관련이 없음을 밝혔는데도 미국은 이라크가 보유하고 있는 대량살상무기(WMD)를 제거하겠다는 구실로 이라크 전쟁을 일으켰다.

조지 W. 부시 대통령은 자국민과 국제 사회를 향하여 이라크 전쟁이 "테러와의 전쟁의 중심 전선"이라는 주장을 반복하여 강조했다. 하지만 이라크 전쟁은 시작부터 거짓말로 철저히 위장한 전쟁이었다. 미국은 이라크가 대량살상무기를 숨기고 있다는 명분으로 전쟁을 시작했지만 이라크에 핵무기가 없다는 사실을 알고 있었고, 실제로 점령한 그 어느 곳에서도 대량살상무기를 찾지 못했다. 또 생물 무기에 대해서도 이렇다 할 증거를 확보하지 못했다.

이라크 전쟁의 작전명은 '충격과 공포(Shock and Awe)'였다. 3월 20일에 전쟁을 시작하여 수도인 바그다드를 함락하는 데 단 21일 밖에 걸리지 않았다. 미국을 중심으로 한 다국적군의 진격은 쿠웨이트 국경

» 9·11 테러 당시 테러범들이 납치한 유나이티드 항공 UA175편이 쌍둥이 빌딩(남쪽 타워)에 충돌한 모습(출처: 위키피디아) «

을 넘은지 3주 만에 500km를 돌파하여 이라크 최남단인 페르시아만을 장악했다. 전쟁 전문가들은 이 전쟁을 "21세기 전격전의 단면을 보여 주는 혁명적인 전쟁 모델"로 평가한다. 미군을 비롯한 다국적군은 이라크의 하늘과 땅을 완전히 장악했다.

## 거짓말로 시작한 전쟁이 이라크에 가져온 혼란

이라크 전쟁에서 3주 동안 미군이 투하한 폭탄의 양은 약 2만 5,000톤에 달한다. '충격과 공포'라는 작전명 그대로, 쏟아진 폭격에 250개 이상의 공장이 파괴되면서 엄청난 양의 유해 화학 물질이 땅에 스며들어 생태계를 오염시키고 생물 종의 서식지를 파괴했다. 단 3주 동안 일어난 일이다. 세계자연기금(World Wide Fund for Nature)은 전쟁 기간 동안 33개 이라크 습지가 화학 물질로 오염되어 60종의 포유류 종이 서식지를 잃었고 45종 이상의 식물이 멸종되었다고 발표했다. 또 영국 원자력청의 연구 보고서는 전쟁 전인 2003년에 비해 종전 후인 2005년의 이라크인 암 발병률은 무려 35%가 증가하여 매년 7,000~8,000명의 새로운 암 환자가 발생하고 있다고 밝혔다. 탱크 장갑차를 막기 위해 열화우라늄(DU) 탄약 1,000~2,000톤이 발사되면서 방사성 물질을 포함한 탄약 파편이 사방으로 흩어져 토질과 공기를 오염시킨 것이 그 원인이다.

전쟁 기간 동안 미국 경찰과 군인, 교도관, 국경 수비대가 저지른 만행을 폭로한 보고서도 국제 사회에 공개되었다. 그중에서 군인은 물론 여성에 대한 성폭력과 노인과 장애인을 학대한 내용이 심각했는데, 2004년에 미국 정부는 '프라고 242'라는 명령을 내려 미국과 동맹국에서 발생한 희생자가 아니라면 전쟁법을 어긴 사례를 조사하지 말라고도 했다. 또한 이라크 죄수를 가둔 아부 그라이브 수용소 역시 인권은 찾아볼 수 없었다. 시끄러운 음악을 틀고 대낮 같이 환히 불빛을 밝혀 수감자들이 도저히 잠을 잘 수 없게 만들었다. 그뿐이 아니다. 수감자들에게 나체로 겹겹이 인간 피라미드를 만들라고 하거나 모욕적인 자세를 취하게 강요했다. 미군은 '늑대 여단'이라는 조직을 통해 이라크 포로들을 전기 드릴로 고문하거나 즉결 처분으로 사형시키기도 했다. 전쟁 기간 동안 65만 8,000여 명의 이라크 민간인이 사망했고 수백만 명이 난민으로 떠돌게 되었다.

한편 전쟁 종료 후 미군이 주둔했던 2011년까지 이라크 정치 체제는 한마디로 엉망이었다. 미국이 교묘하게 민족과 종파를 분열시키는 정책을 실시하면서 정치인들은 서로 싸우는 난타전을 벌였고, 후세인 정권에서는 상상도 할 수 없던 부정부패가 만연했다. 종전 후 기반 시설을 재건하는 비용 2,120억 달러 중 600억 달러가 경찰과 군, 부패한 관리의 호주머니로 들어갔다. 공공시설 관리가 제대로 이루어지지 않은 탓에 이라크인들은 인내를 시험하게 만들 정도의 잦은 정전과 비위생적인 수도 시설, 보건 의료 시스템의 공백을 견뎌 내야 했다. 체계적인 교육 시스템으로 명성이 높던 이라크 거리 곳곳에서 학교를 가지 않고 구걸을 다니는 아이들을 만날 수 있었다.

이라크 전쟁의 영향은 이것만이 아니다. 결정적으로 전쟁을 기회로 세력을 키운 이슬람 국가(IS)가 이라크 북부와 이라크 제2의 도시인 모술을 근거지로 장악하면서 전 세계를 공포로 몰아넣었다. 그래서 미국은 오바마 대통령 재임 시절인 2011년에 이루어진 이라크에 대한 완전 철수 이후에 이라크 정부의 요청을 받아 2014년부터 2,500여 명의 미군을 다시 파견하여 주둔시켜 왔다. 국가 시스템이 붕괴된 무능한 이라크 정부로서는 도저히 IS를 막아 낼 수 없었기 때문이다. 2015년부터 IS는 몰락의 길을 걸었지만, 이라크에 주둔한 미군은 철수하지 않았다. 겉으로는 아직 남아 있는 IS의 잔당을 섬멸하기 위해서라고 했지만 정통한 소식통에 의하면, 이란이 이라크의 시아파 정권에 영향력을 행사하는 것을 견제하는 한편 이란이 레바논에 거점을 둔 무장 테러 단체 헤즈볼라 등을 지원하는 것을 막아 이스라엘 공격에 사용할 무기를 보내지 못하도록 하기 위함으로 분석되고 있다. 2024년 초, 미군이 철수하지 않은 것에 불만을 품은 이라크 내 무장 단체가 시리아에 있는 미군기지를 향해 로켓포를 발사하며 친미 이라크 정권에게 속히 미군 철수를 마무리지으라는 경고장을 보냈다. 2024년 현재, 이라크에 주둔하고 있는 미군 숫자는 5,000여 명에 달한다.

## 미국이 이라크 전쟁을 일으킨 이유

끝으로 이라크 전쟁을 일으킨 미국의 속내를 알아보자. 전쟁이 일어나기 전부터 이 전쟁에 대한 반전 시위가 대규모로 전개되었다. 특히 2003년 2월 15일에는 로마에서 300만여 명이 모여 격렬한 반전 시위를 벌였고 이는 기네스북에 역대 최대의 반전 집회로 기록되었다. 또 2004년 9월에는 당시 유엔 사무총장인 코피 아난이 이 전쟁은 국제법상 불법이며 유엔 헌장을 위반한 것이라고 말했다. 그럼에도 미국은 명분뿐인 이 전쟁을 왜 일으켰을까? 그것은 사실 비열한 경제적 이유 때문이다. 세계 굴지의 산유국인 이라크에 친미 정권을 세워 정부 주도의 통제 경제에서 시장 경제로 전환시킨 다음, 원유 시추권을 미국 메이저 정유 회사가 갖게 하는 것이 첫째 이유였다. 이라크의 원유 매장량은 약 1,450억 배럴로 세계 4위이고 서아시아에서는 사우디아라비아, 이란에 이어 원유 매장량 3위를 차지하고 있다. 실제로 이라크 친미 정권은 미국 등의 정유 회사들이 30년간 이라크의 석유 시추권을 확보한다는, 이라크 입장에서 보면 실로 말도 되지 않는 내용의 법안을 국무회의에서 통과시켰다. 이 법안의 법률 자문도 미국 정부가 추천한 미국 법인이 맡았다. 국가가 철저하게 해외 기업들의 투자를 통제하고 있는 사우디아라비아, 이란 등과 같은 이웃 산유국과 매우 대조적이다. 결론적으로 미국의 전쟁 목적은 이라크가 가진 풍부한 석유 자원을 안정적으로 확보하기 위해서였던 것이다. 영국이 맞장구를 쳤고 같은 목적을 가진 오스트레일리아 등이 미국의 동맹국으로 다국적군이 되어 전쟁에 참여했다.

둘째는 전쟁으로 파괴된 이라크를 재건하기 위한 사업에 참여하여 막대한 경제적 이윤을 거두기 위함이었다. 종전 후 다국적 기업이 이라크에서 재건 사업으로 얼마만큼의 경제적 이득을 차지했는지 예를 들어보자. 미국 부시 정권의 딕 체니(1941~) 부통령이 회장직을 맡았던 에너지 기업 할리버튼의 자회사 KBR(Kellogg Brown & Root)는 10년간의 재건 사업에서 395억 달러를 벌어들여 재건 사업 상위 10대 기업 중 1위를 차지했다. 또 부시 행정부와 미국 공화당에 막대한 정치 자금을 제공한 바 있는 베어링포인트라는 기업은 이라크 재건 사업에서 총 2억 4,000만 달러의 매출을 올렸다. 재건 사업으로 가장 많은 수익을 거둔 나라가 미국인 것이다. 한국도 이라크를 침공했던 미국, 영국에 이어 세 번째 큰 규모인 3,000명을 파병한 후 재건 사업에서 큰 수익을 올렸다. 무기 판매를 통해 대우, 현대, 한화건설 등 24개 기업이 세계 2위 규모의 재건 사업을 도맡아 이윤을 챙겼다. 그중 한화건설은 여의도의 6배 면적에 10만 호를 건설하는 등 단일 기업으로 총 180억 달러의 역대 최대 규모 공사를 수주했다. 우리도 6·25전쟁의 비극을 겪으며 세계 경제 대국으로 올라섰기에, 이윤만 챙기는 것이 아니라 이라크가 전쟁의 불행을 딛고 다시 일어설 수 있도록 실질적인 도움을 주어야 할 것이다.

## 미국의 아프가니스탄 침공과 이라크 전쟁의 구실이 된 9·11 테러

2001년 9월 11일 화요일 오전 8시 46분, 도저히 믿기 어려운 일이 일어났다. 81명의 승객과 11명의 승무원을 태운 항공기가 미국 뉴욕의 랜드마크인 110층짜리 세계무역센터(WTC) 쌍둥이 빌딩 중 북쪽 건물에 충돌한 것이다. 뒤이어 9시 3분에는 시속 950km의 속도로 날아온 또 다른 민간 항공기가 쌍둥이 빌딩 중 남쪽 건물에 충돌했다. 이날 알카에다에 의해 납치된 민간 항공기는 4대였는데 그중 2대가 쌍둥이 건물을 붕괴시켰다. 또 같은 날 9시 37분에는 납치된 항공기 한 대가 미 국방부 건물인 펜타곤과 충돌하여 건물 일부를 무너트렸다.

9·11 테러로 사망자만 2,977명에 달했고 부상자는 2만 5,000명 이상이었다. 거리는 아수라장이 되어 화재와 앞이 보이지 않는 연기 속에서 가족의 생사를 찾아 헤매는 사람들의 애타는 울부짖음으로 가득했다. 더욱 안타까운 일은 재난을 수습하다가 소방관 340명이 순직한 것이다. 미국은 이 테러를 알카에다의 소행으로 적시하고 '테러와의 전쟁'을 선포했다. 미국은 9·11 테러가 일어난 지 채 한달이 안 된 2001년 10월 7일에 테러를 일으킨 주동자 오사마 빈 라덴을 보호해 주고 있는 아프가니스탄을 침공하여 탈레반 정권을 와해시키고 반 탈레반 세력으로 과도정부를 세웠다. 그러나 오사마 빈 라덴은 이미 몸을 숨긴 다음이었기 때문에 그를 제거하는 데는 실패했다. 그는 이후에도 10여 년을 곳곳의 은신처로 피해 다니다가 드디어 2011년 5월에 미국 CIA(중앙정보국)가 주도한 제르니모 작전을 통해 파키스탄에서 사살되었다. 그리고 2년 후 미국은 테러를 지원하는 '악의 축'을 제거한다면서 있지도 않은 대량살상무기를 제거한다는 명분을 내세워 이라크를 침공한 것이다.

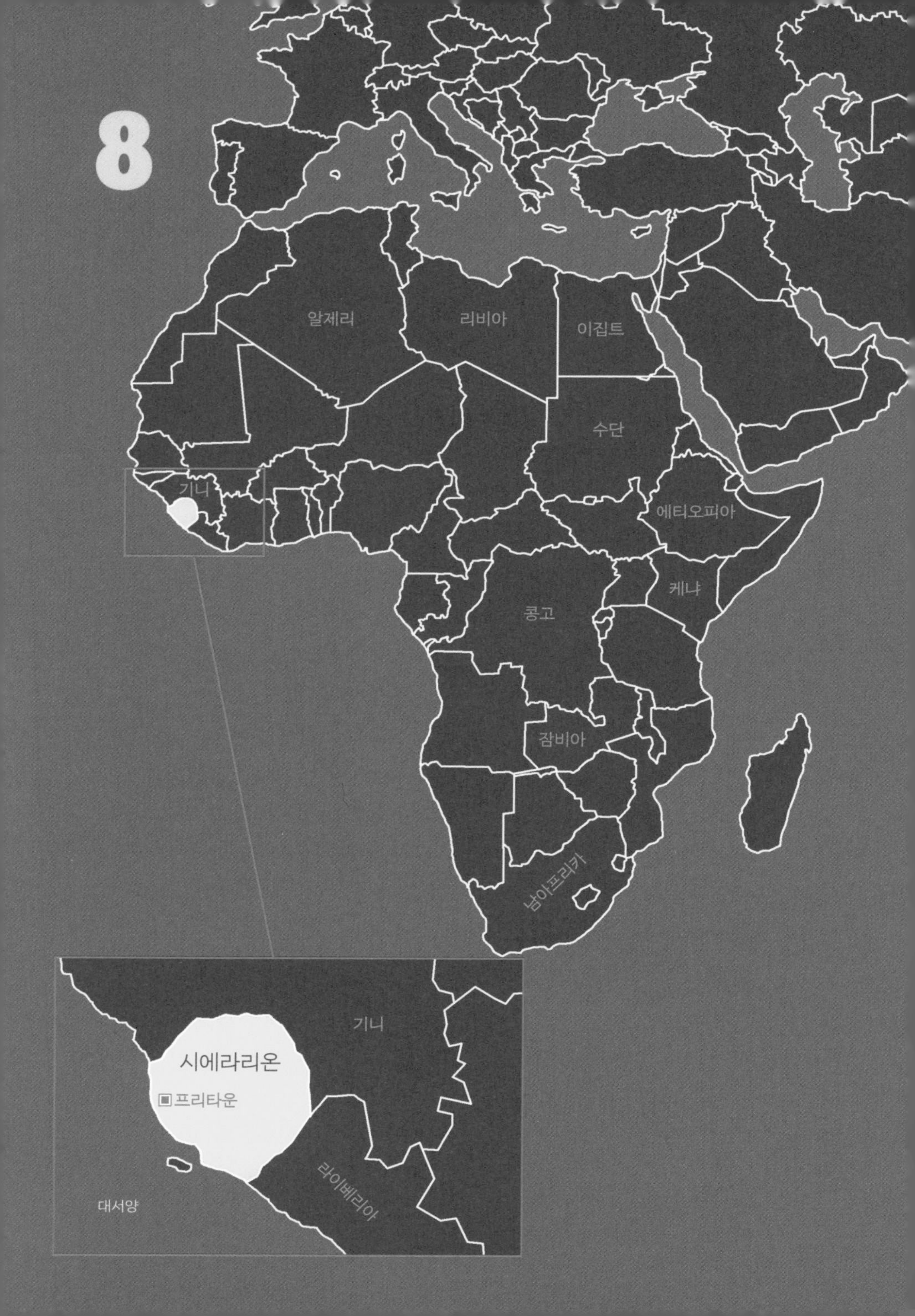
8
알제리
리비아
이집트
수단
기니
에티오피아
케냐
콩고
잠비아
남아프리카
기니
시에라리온
프리타운
라이베리아
대서양

# 저주받은
# '피의 다이아몬드'를 놓고 싸우는
# 시에라리온

**시에라리온 연표**

1961 영국 연방 국가로 독립
1991 시에라리온 내전(~2002)
1996 아비장 협정
1999 로메 평화 협정
2002 카바 대통령 당선과 내전 종식 선언

**그때 우리는**

1961 5·16 군사 쿠데타
1997 외환 위기로 IMF 구제금융 요청
2000 6·15 공동 선언 발표
2002 노무현, 제16대 대통령으로 당선

*반군에 의해 납치되어 군사 훈련을 받아 왔던*
*시에라리온의 15세 소년병은 강제로 마약을 흡입하여 중독된 상태로*
*살인 병기가 되었다. 말 그대로 도덕적 판단을 잃은 채 반군이 주입시킨*
*'적'에게 총을 쏘는 인간 병기였다. 어느 날 소년병은 약에 취해 여섯 명의*
*포로들을 꽁꽁 묶어 일렬로 세웠다. 그는 포로들의 발에 총을 쏘고*
*하루 종일 그들이 고통스러워하는 모습을 구경했다.*
*그 후 그들에게 차례대로 총을 쏘아 목숨을 빼앗았다.*

• 이 내용은 어느 소년병의 논픽션 기록
(이스마엘 베아, 〈집으로 가는 길(A Long Way Gone)〉)에 나오는
실화를 참고한 글이다.

## 아이티 혁명이 가져온 시에라리온의 독립

시에라리온은 아프리카 서부에 위치한 국가이다. 시에라리온은 포르투갈어로 '사자가 있는 산'이라는 뜻이다. 세계에서 가장 먼저 먼 바다로 갈 수 있는 범선을 만든 포르투갈인들은 1462년에 처음 아프리카의 서해안에 이르렀는데, 바다의 파도치는 소리를 산에서 사자가 포효하는 울음소리라고 생각하여 이런 이름을 붙였다고 한다. 1827년에 세워진 서아프리카에서 가장 오래된 대학 포라 베이 컬리지(Fourah Bay College)와 세계 세 번째로 큰 천연 항구 엘리자베스 2세 부두(Queen Elizabeth II Quay, QE II Quay, Deep Water Quay)를 가진 덕분에, 유럽인들은 시에라리온을 '서아프리카의 아테네'라고 부르기도 했다. 영국에서 해방된 노예들이 이주해 오기 전에 이 지역에는 멘데인, 코노인 등의 원주민이 살았는데, 이 장의 처음에 소개했던 소년병도 내란이 일어나 반군에 납치당하기 전에는 따뜻하고 정이 넘치는 멘데인 농촌 마을에 살았다.

시에라리온의 수도는 '프리타운(Freetown)'으로, 말 그대로 '자유가 있는 도시'라는 뜻이다. 영국에서 18세기 후반에 성공회 신자를 중심으로 노예 해방 운동이 일어났고 이때 해방된 노예들을 이곳으로 보내 살게 하면서 지어진 이름이다. 영국은 1833년에 노예제도가 폐지되어 더 많은 영국 해방 노예들이 이곳으로 들어오게 되었다. 노예제도를 폐지하게 된 배경에는 세계 최초의 흑인 공화국을 탄생시킨 아이티 혁명(Haitian Revolution, 1791~1804)이 큰 역할을 했다. 아이티에는 프랑스가 소유하고 있던 카리브해의 식민지 생도맹그(Saint-Domingue)가 있었는데, 18세기 세계 사탕수수 생산량의 4분의 1이 이곳에서 나왔다.

생도맹그의 플랜테이션 농장에서는 약 60만 명의 흑인 노예가 사탕수수를 생산하는 고된 노동에 시달렸다. 그들을 지배하는 프랑스인은 고작 5만 5,000여 명이었다. 1789년에 프랑스에서 대혁명이 일어나자 생도맹그 흑인 노예들은 큰 자극을 받았다. 자유와 평등, 형제애의 프랑스의 혁명 정신과 계몽사상에 영향을 받은 해방 노예 투생 루베르튀르(1743~1803)는 흑인 노예들을 이끌고 봉기하여 1794년에 섬 전역을 장악하고 최초로 자치 정권을 세웠다. 그러나 곧 나폴레옹이 쿠데타로 집권하여 나폴레옹 시대(1799~1815)가 시작되면서 그는 군대에 진압되어 포로 신세가 되었고, 결국 독립은 보지도 못한 채 프랑스 요새에 수감되어 생을 마쳤다. 하지만 흑인 노예들은 투쟁을 포기하지 않았다. 자유를 위해 피와 목숨을 바쳐 투쟁하는 그들 앞에 프랑스군은 무릎을 꿇을 수밖에 없었다. 혁명군을 승리로 이끈 노예 출신이자 투생 루베르튀르의 부관이었던 장자크 데살린(1758~1806)은 1804년 1월 1일에 아이티 자유 공화국을 선포했다. '아이티(Haiti)'는 '높은 산들의 나라'를 뜻한다. 콜럼버스가 1492년에 첫발을 디딘 히스파놀라섬에 살았던 원주민 타이노족의 말인 'Haiti(Hayti)'에서 유래했다.

세계 최초의 흑인 공화국인 아이티는 세계 역사를 바꾸기 시작한다. 노예무역을 주도해 온 영국에서도 일부 양심 있는 지성인들이 아이티 혁명을 계기로 노예제 폐지 운동에 적극 나섰고, 영국은 1807년에 이들의 주장을 받아들여 노예무역을 금지시킨 데 이어 1833년에는 노예제를 폐지했다. 노예제를 폐지하자 영국에서는 해방된 노예들이 큰 사회 문제가 되었다. 대부분이 극빈층인 이들에게 살길을 열어 주는 것이 급선무였다. 그 일환으로 '박애 프로젝트'가 시작되어 해방 노예들을 아프리카로 돌려보내기 시작한다. 이들이 대거 정착한 곳이 시에라리온이다. 그러면서 영국 정부는 얄팍한 꼼수를 생각했다. 해방된 노예들에게 자치 정부를 세우게 하여 아프리카 흑인들을 지배하게 하고, 자신들은 그 뒤에서 아프리카 서해안 무역에서 가져오는 이윤을 독점하겠다는 것이었다. 유럽 강대국들에게 아프리카 서해안은 보물 창고와 같았다. 무궁무진하고 진귀한 자원이 생산되어 별명까지 지어졌는데 시에라리온이 있는 곳은 후추 해안, 미국의 해방된 노예들이 세운 공화국인 라이베리아가 있는 곳은 곡물 해안이라 했고, 그 외에 상아 해안, 황금 해안, 노예 해안이 있었다. 이러한 배경에서 시에라리온은 영국의 보호국을 거쳐 1961년에 독립국이 되었다. 하지만 그 후 시에라리온에서 생산되는 자원을 독점한 권력자들의 장기 집권과 부정부패, 이들을 내몰겠다고 일어난 반군과 주변국의 개입으로 오히려 더

살기 힘든 곳이 되었다. 구체적인 수치를 살펴보자. 미국의 국제식량정책연구소, 아일랜드와 독일의 NGO 단체가 협력하여 조사한 5세 이하 유아들의 사망률과 영양실조 상태를 바탕으로 산정되는 세계기아지수(Global Hunger Index, GHI)로 살펴보자면, 시에라리온은 2021년 기준으로 조사국 116개국 중 106위에 위치할 정도로 매우 열악하다.

## 저주받은 피의 다이아몬드가 초래한 내전

전 세계 부자들이 가장 열광하는 보석은 다이아몬드이다. 결혼할 때 신랑 신부가 다이아몬드 반지를 서로 끼워 주기도 하는데 가격이 워낙 비싸다 보니 1캐럿짜리 다이아몬드 반지를 사는 것도 쉽지 않다. 그런데 시에라리온에서는 수십 캐럿을 넘어 수백 캐럿짜리 다이아몬드가 발견되고 있다. 그 예로, 2017년에 시에라리온의 한 목사가 발굴한 다이아몬드를 국가에 헌납했는데 무려 709캐럿으로 세계에서 14번째로 큰 것이었다. 이 다이아몬드는 미국 뉴욕 경매장에서 650만 달러(약 70억 원)에 어느 재력가에게 낙찰되었다.

목사는 왜 다이아몬드를 국가에 헌납했을까? 시에라리온이 워낙 못사는 나라이기 때문에 국가에서 다이아몬드를 판돈으로 정말 살기 어려운 시에라리온 마을의 각종 시설을 개선해 주기를 바랐기 때문이다.

실제로 시에라리온 정부는 수익금으로 목사가 살고 있는 코랴두 마을에 수도와 전기를 공급하고 도로와 병원, 학교를 세우며 의료 지원을 아끼지 않겠다고 밝혔다. 그래서 이 다이아몬드를 '평화의 다이아몬드'라고 부른다.

그렇다면 이와 반대로 '피의 다이아몬드'는 무엇을 말하는 것일까? 같은 제목의 영화가 제작되기도 했는데, 2006년에 개봉된 〈블러드 다이아몬드(Blood Diamond)〉이다. 이 영화에는 1972년에 시에라리온에서 채굴된 968.9캐럿의 다이아몬드 원석에 대한 이야기가 등장한다. 축복의 선물, 다이아몬드가 왜 저주의 선물이 되어 피를 불러오게 되는 지 알아보자.

저주는 시에라리온 곳곳에서 볼 수 있는 충적토의 토양에서 1930년에 다이아몬드가 발견되면서 시작되었다. 그래서 시에라리온은 세계 3대 다이아몬드 매장량을 자랑하는 나라가 되었다. 시에라리온은 다이아몬드 뿐 아니라 보크사이트나 철광석 등의 천연자원도 풍부한 나라이다. 이러한 자원을 정부가 나서서 잘 관리하고 창출된 이윤을 나라 발전을 위해 썼다면 오늘날 시에라리온은 세계 극빈국 중 하나로 가난과 분쟁에 휘말리지 않았을 것이다. 그런데 문제는 발견 당시 통치권을 갖고 있던 영국 정부에 있었다. 영국은 일반 사람들이 다이아몬드 채굴에 참여할 수 없도록 철저히 금지시킨 다음, 역시 영국이 소유하고 있는 남아프리카 다이아몬드 기업인 '드비어스'에 채굴권을 넘겨 버렸다. 시에라리온이 독립한 이후에는 집권자들의 독재와 부정부패, 쿠데타로 인한 새로운 정부의 등장, 다시 그 정부를 전복시키기 위한 쿠데타와 내전이 거듭되는 악순환이 계속되었다. 1991년에는 군 장교 출신인 포다이 사이바나 상코(1937~2003)가 일당 독재를 이끌고 있는 시에라리온인민당의 조지프 사이두 모모(1937~2003)의 정권을 무너트리기 위해 혁명연합전선을 앞세워 시에라리온 내전(1991~2002)을 일으켰다. 문제는 시에라리온처럼 미국에서 해방된 노예들이 세운 라이베리아 공화국의 대통령 찰스 테일러(1948~ )가 반군들에게 무기와 식량을 집중 지원해 준 데 있었다. 테일러 대통령이 반군을 지원한 데에는 나름대로의 꼼수가 있었다. 그렇다. 시에라리온에 있는 다이아몬드 광산의 이윤을 노린 것이다. 반군은 내전을 일으키면서 가장 먼저 시에라리온 다이아몬드 광산이 몰려 있는 동부와 남부를 집중 공격하여 이 지역들을 손에 넣었다. 그리고 테일러의 지원을 받은 대가로 이곳 광산들에서 캐낸 다이아몬드를 라이베리아에 넘겼다. 테일러는 이 다이아몬드를 밀수출하여 막대한 돈을 확보했는데 그 돈은 라이베리아의 1년 국내 총생산보다 많았다.

## 성적 학대부터 마약,
## 신체 절단에 이르는 끔찍한 비극

내전이 일어나는 동안 약 25만 명의 여성들이 성적인 학대를 당했다. 앞에서 말한 것 같이 5~7살 때 납치되어 전쟁 병기로 훈련받은 소년병들은 마약에 강제로 중독되었다. 7,000여 명에 달하는 소년병들은 약에 취해 판단과 감정을 잃은 '가장 잔인한 전투병'으로서 무차별하게 살상을 저질렀다. 반군들은 4,000명 이상의 사람들의 손을 절단했는데 정부군에 투표했다는 것이 첫 번째 이유요, 다이아몬드의 할당량을 채우지 못했다는 것이 두 번째 이유였다. 손목은 물론 다리를 절단당한 사람도 많아 그들은 현재까지 고통과 가난에 시달리고 있다.

시에라리온 내전은 국제전으로 확대되었다. 정부군은 전쟁에 이기기 위해 남아프리카의 민간 용병회사(Executive Outcomes)와 계약하여 군사력을 보강해서 다이아몬드 광산을 지키기 위해 안간힘을 썼고, 나이지리아 주도로 서아프리카평화유지군(ECOMOG)이 개입하여 반군의 기세를 꺾기도 했다. 반군이 1996년에 체결된 아비장 협정(Abidjan Peace Accord)을 무시하고 라이베리아의 지원을 받아 다시 군사를 일으키더니, 선거로 세워진 카바 민선 정부를 전복시켰기 때문이다. 또 IMF(국제통화기금), 유엔, OAU(아프리카 통일기구) 같은 국제기구들이 발벗고 나서 시에라리온의 내전 종식에 힘을 썼다. IMF가 라이베리아 정부를 향해 계속 반군을 지원하면 경제적 지원을 끊겠다고 선언하고는 결국 라이베리아의 지원을 중단시킨 것이 대표적이다. 유엔은 평화유지군을 파견하는 한편, 밀수출되는 다이아몬드를 '분쟁 다이아몬드(conflict diamond)'로 규정하고 모든 다이아몬드의 수입과 수출에 국제 인증을 두는 방안을 마련했다. 이것이 2003년 유엔 총회 결의로 공인한 킴벌리 프로세스(Kimberley Process Certification Scheme, KPCS)이다. 그 덕분에 피를 낳는 블러드 다이아몬드를 막고 다이아몬드의 공정한 거래를 위해 광산에서 수송, 판매된 지역에 이르는 모든 과정을 기록으로 남겨 다이아몬드 수출국 정부의 투명도를 보장하게 되었다.

한편 시에라리온 내전은 1999년에 로메 평화협정이 체결되어 반군의 무장해제가 이루어지면서 종식되었다. 유엔의 평화유지군도 2005년에 시에라리온에서 공식 철수했다. '다이아몬드 내전(Diamond War)'으로 불리는 시에라리온 내전은 종결되었지만 내전 기간 동안 전체 인구의 3분의 1에 달하는 200만 명이 난민 신세가 되었다. 시에라리온은 2018년 대선을 통해 1961년의 독립 이후 두 번째 민주적 정권 교체를 이루며 새로운 도약에 나서고 있다. 하지만 내전 당시 신체가 절단된 수많은 사람들과 성적 학대를 겪은 여성들, 마약에 취해 살인을 저질렀던 소년병들은 아직도 그때의 수치스러운 기억과 장애를 끌어안고 고통스러운 나날을 보내고 있다.

## 한걸음 더! 시에라리온 반군이 행한 신체 절단의 원조, 벨기에 레오폴트 2세 국왕

시에라리온 내전 중 반군은 점령 지역 주민들의 신체를 무참히 절단하는 만행을 저지른다. 아프리카의 내전에서 신체 절단이 일어나게 된 것은 벨기에의 레오폴트 2세(1835~1909)가 자신의 사유지였던 콩고자유국을 수탈하면서 저질렀던 폭압적 착취의 지배 형태를 반군이 그대로 학습한 결과이다. 레오폴드 2세는 유명한 탐험가 헨리 스탠리(1841~1904)의 탐험을 앞세워 원주민들의 토지 소유권을 영구히 넘겨받아 현재 시세로 환산하면 약 24조 원의 천연 자원을 가진 아프리카 중부, 현재 콩고민주공화국을 콩고자유국으로 사유지화했다. 그는 '검은 황금'으로 불리는 고무의 할당량을 채우지 못하면 인질로 잡아 둔 어린 자녀들의 신체를 절단하는 끔찍한 일을 저지르고 그 이윤을 독차지했다. 고무 외에도 구리, 금, 다이아몬드를 강탈했으며, 그가 지배한 15년 사이에 콩고의 인구는 2,000만 명에서 800만 명으로 급격히 줄어들었다. 오늘날 벨기에인들은 그를 '건축왕'으로 추모한다. 브뤼셀에 거대한 규모의 궁전과 박물관 등을 세웠기 때문이다. 그러나 그 건물들은 아프리카인들의 피와 눈물을 무자비하게 착취하여 얻어낸 이윤으로 지어진 것이다.

» 레오폴트 2세를 콩고인을 얽어 감는 뱀으로 풍자한 영국 잡지 〈펀치〉의 만평 (1906년)(출처: 위키미디어 커먼스) «

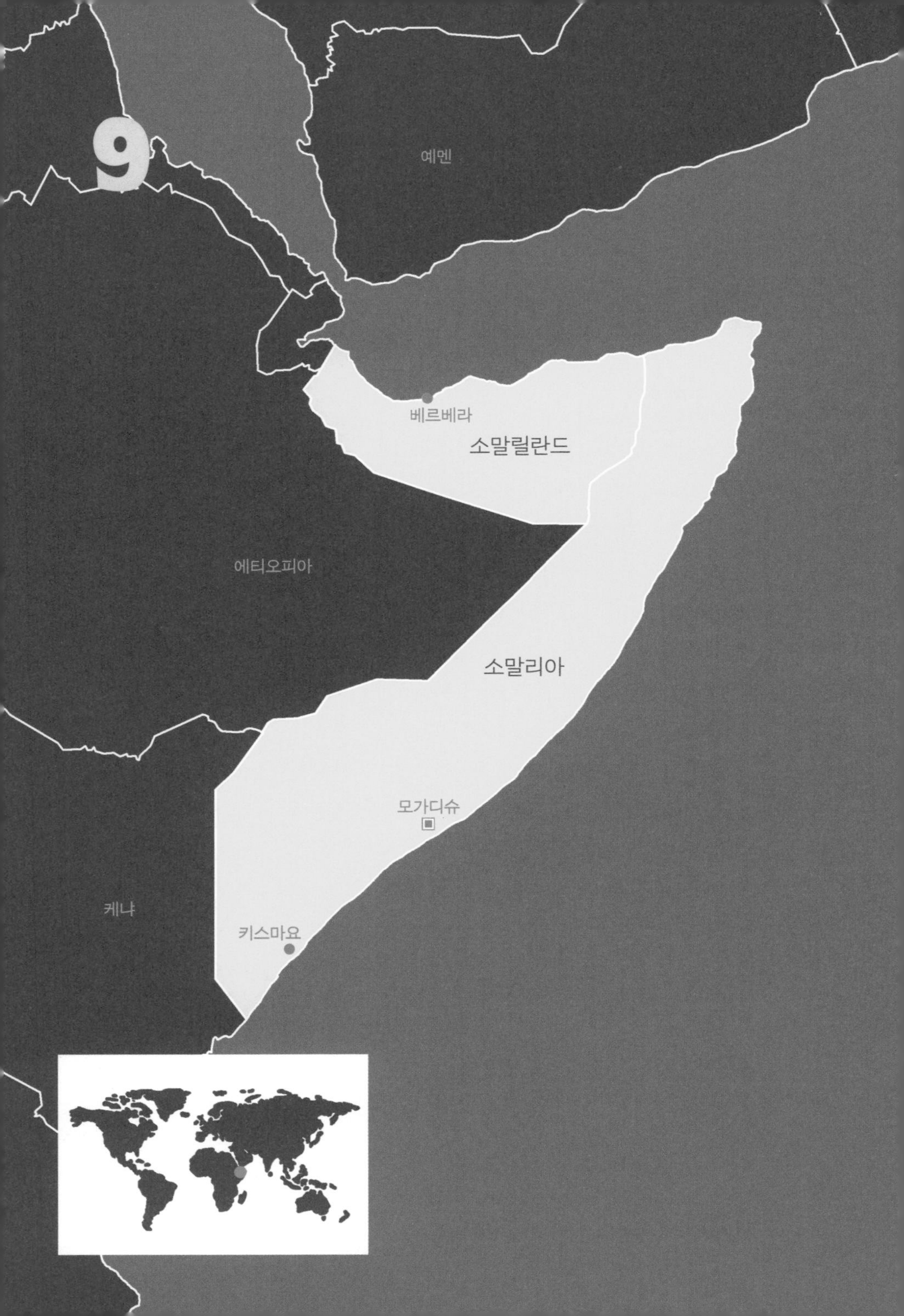
9
예멘
베르베라
소말릴란드
에티오피아
소말리아
모가디슈
케냐
키스마요

# 독재와 빈곤으로 얼룩진 '실패한 국가' 소말리아

소말리아 내전 관련 연표

1960 소말리아 독립
1969 바레 장군, 쿠데타로 집권
1991 내전 시작, 소말릴란드 독립
2006 에티오피아, 내전 개입(~2009)
2012 소말리아 연합 정부 수립

그때 우리는

1960 4·19 혁명
1969 삼선개헌안 국민투표로 확정
1991 남북한 유엔 동시 가입
2012 박근혜, 대한민국 최초 여성 대통령에 당선

*아프리카 소말리아에서 분쟁과 기아의 악순환이 계속되고 있다.*
*기아는 분쟁을 일으키고, 무력 분쟁은 다시 기아를 발생시킨다.*
*여기에 2023년, 기후 위기로 소말리아가 위치한 '아프리카의 뿔'*
*지역에 40년 만의 가뭄에 이어 큰 홍수가 덮쳤다.*
*유엔아동기금(UNICEF·유니세프)은 무력 분쟁에 시달리는 소말리아에*
*즉각 구호 조치가 취해지지 않는다면 한 해의 반도 지나지 않아*
*소말리아 어린이 50만 명 이상이 영양실조 등으로*
*숨질 수 있다고 경고했다.*

## 강대국의 경쟁적인 식민 지배의 희생양이 된 소말리아

한국인에게 소말리아라는 나라는 비교적 익숙하다. '아덴만의 영웅'으로 불리는 당시 아주대병원 중증외상센터 이국종 교수가 아덴만에서 소말리아 해적에게 납치되어 여섯 발의 총을 맞아 생명이 위태로웠던 석해균 선장을 치료한 이야기가 유명하기 때문이다. 그 후에도 종종 우리나라 선박이 소말리아 해적에게 납치되어 몸값을 요구 당한다는 소식도 들려왔다. 또 우리나라 상록수 부대가 평화유지군으로 파견되어 활동한 곳도 소말리아다. 잠깐 여기서 오른손을 들어 왼쪽 어깨를 잡아 보자. 우리 몸통을 아프리카 대륙이라고 하면 아프리카에는 오른쪽 어깨뼈처럼 툭 튀어나온 지역이 있다. 이곳을 '아프리카의 뿔'이라고 하는데 이곳에 소말리아가 위치한다. 소말리아는 아프리카에서 가장 긴 해안선을 갖고 있는 나라이다. 지도에서 보면 '아프리카의 뿔'은 예멘과 사우디아라비아 등 서아시아 국가들이 있는 아라비아반도와 유난히 가까워 보인다. 그런데 실제로도 서아시아의 이슬람교는 지금까지 소말리아에 강력한 영향을 끼치고 있다.

소말리아라는 국명은 소말리아족에서 파생된 것으로, 홍해의 남쪽 끝에 위치한 소말리아반도에서 살던 소말리아족이 1960년에 독립한 후 지은 것이다. 19세기 말까지 이슬람 왕국이었던 소말리아는 아프리카에 대한 강대국들의 식민지 쟁탈전 속에서 식민 통치를 받게 되었다. 처음에는 독일의 지배를 받았다가 뒤이어 이탈리아와 영국의 식민지가 되었다. 영국은 북부 지역을 영국령 소말릴란드로 통치했고, 남부를 통치하던 이탈리아는 제2차 세계 대전이 일어나자 한때 소말리아 전 지역을 지배하기도 했다. 하지만 이탈리아가 연합군에게 항복을 하면서 영국이 소말리아 전역을 통치하게 되었다.

1950년대에는 남부 지역이 다시 이탈리아의 신탁통치를 받게 된다. 소말리아를 지배하는 국가들은 계속 누가 힘이 센지 줄다리기를 하면서 소말리아를 나눠 먹었다. 그때마다 소말리아는 강대국들에 의해 원치 않는 경계선이 그어졌고, 그것이 오늘날 소말리아 분쟁의 씨앗으로 자라게 되었다. 그러다 마침내 1960년 6월, 영국령 소말릴란드가 먼저 독립을 했다. 곧이어 7월에는 이탈리아령 소말리아도 독립을 했는데 정치 지도자들이 '대소말리아주의'를 추진하면서 두 나라로 분리 독립되었던 지역이 소말리아 공화국으로 통일을 이루게 되었다. 수도는 영화 제목으로 귀에 익은 '모가디슈'이다. 초대 대통령은 아덴 압둘라 오스만 다르(1908~2007)였는데 재선을 노렸지만 대통령 선거에서 총리였던 압디라시드 앨리 샤르마르케(1919~1969)에게 참패했다. 제2대 대통령이 된 샤르마르케 대통령은 의욕적으로 식민지 이전의 소말리아 영토를 되찾으려는 대소말리아주의 정책을 추진하는 한편, 당시 세계가 미국과 소련을 중심으로 양분되어 치열한 경쟁을 전개하자 그 어느 쪽에도 가담하지 않겠다는 비동맹 중립 노선을 내세웠다.

## 암살과 쿠데타, 독재로 얼룩진 소말리아 정국과 내전의 시작

만약 샤르마르케 대통령이 순조롭게 임기를 마치고 제3대 대통령에게 권력을 이양했다면 오늘날 소말리아를 일컫는 말인 '실패한 국가(Failed State)'라든지 1인당 국내총생산(GDP)이 600달러에도 못 미치는 최빈국, 혹은 '세계에서 기아 위험이 가장 높은 국가'라는 오명은 듣지 않았을지도 모른다. 비극은 1969년 샤르마르케 대통령이 뜻하지 않게 경호원에게 암살당하면서 시작되었다. 대통령이 암살된 후 장례식 날 군부를 등에 업고 무함마드 시아드 바레(1919~1995) 장군이 군사 쿠데타를 일으켜 집권에 성공했다. 그는 최고혁명위원회를 발족시켜 의회와 대법원의 해산을 단행하고 국명도 소말리아 민주 공화국으로 바꾸었다. 대통령 자리에 오른 바레 장군의 정권을 사회주의 군사 독재 정권이라고 일컫는다. 그는 아랍 국가들과 긴밀히 교류하여 1974년 아랍 연맹에 가입하는 한편, 아프리카통일기구의 수장직을 맡아 국내외 자신의 입지를 탄탄하게 다져 나갔다. 바레 대통령의 이념적 바탕은 이슬람교와 사회주의이다. 그는 최고혁명위원회를 해산시킨 후 소말리아 혁명사회당을 조직하여 자신의 이념을 소말리아에 깊숙이 심었다. 사회주의 국가가 그렇듯이 개인의 투자를 통한 이윤 추구를 정부가 나서서 제한했고 이슬람 국가가 추구하는 정의와 평등, 그리고 진보의 가치를 추구해 나갔다. 그러나 국민의 자유는 군사 독재 정권에 의한 공권력 남용으로 곳곳에서 억눌렸다.

한편 미국과 소련 사이에서 그 어느 쪽에도 치우치지 않던 샤르마르케 대통령의 비동맹 정치적 노선은 바레 대통령에 의해 한쪽으로 완전히 기울어졌다. 바레 대통령은 소련의 지원을 받아 낙후한 산업을 일으키면서 소말리아의 발전을 막고 있던 빈곤 문제를 해결하려고 했다. 하지만 국경을 맞대고 있는 에티오피아와의 전쟁에서 패배하면서 군사력이 약해지고 국가 경제도 매우 어려워졌다. 그 전쟁이 소말리아의 침공으로 시작된 오가덴 전쟁(Ogaden War, 1977~1978)이다. 이 전쟁은 바렌 장군이 대소말리아주의에 의해 영토를 확대하겠다면서 에티오피아와 서로 영유권 분쟁을 벌여 오던 오가덴 지역을 침공하면서 시작되었다. 전쟁을 시작하고 두 달 만에 소말리아는 오가덴 지역의 90%를 장악하는 성과를 올렸다. 하지만 곧 전세가 역전되기 시작했다. 그동안 소말리아를 지원하던 소련이 태도를 바꾸어 사회주의 국가인 에티오피아를 지원하기 위해 쿠바 혁명군 1만 6,000여 명과 소련 장군의 지휘를 받는 1,500여 명의 소련 군사 전문가를 파견한 것이다. 이러한 소련의 인적 자원 지원과 10억 달러에 달하는 군수 물자의 지원으로 전세가 역전되었다. 이 전쟁에서 소말리아는 오가덴 지역을 거의 상실했을 뿐 아니라 소말리아 병력의 약 3분의 1이 쿠바군의 포격과 공중 폭격을 받아 전사했고 소말리아 공군도 막대한 손실을 입었다. 바레 대통령은 독재자가 흔히 그렇듯이 전쟁에 패한 것에 대한 불만을 억누르기 위해 국민의 자유를 더욱 짓눌렀다. 그는 소말리아의 핵심 권력 기구와 정보 기관의 인사를 자신의 부족이 독점하게 했다. 소말리아가 독립하던 1960년대만 하더라도 소말리아는 아프리카 독립 국가들의 민주주의 모델로서 서방 국가들에게 큰 박수를 받았다. 세계사에서 1960년을 '아프리카의 해'라고 하는데 1960년에만 아프리카 17개국이 식민지에서 독립을 했기 때문이다. 그 나라들 중 소말리아는 전망이 아주 밝은 국가였다. 그러나 바레 대통령 통치 22년만에 역사의 수레바퀴를 뒤로 돌리는 결과를 낳게 되었다. 자신의 부족만을 권력의 핵심에 배치한 바레 대통령 자신이 내전의 시한폭탄을 쥐고 있었던 것이다.

결국 1991년에 그동안 정치에서 소외되었던 부족들이 단결하여 소말리아연합회의(USC: the United Somali Congress)를 결성한 후 쿠데타를 일으켰고 그의 오랜 철권 정치가 무너지면서 퇴임을 당했다. 그런데 곧 쿠데타에 반대하는 무장 봉기가 일어났다. 이후 소말리아는 극심한 무정부 상태로 정치적 혼란과 내전의 악몽 속으로 들어가게 되었다.

## 유엔의 평화유지군마저 철수하는
## 무정부 상태에서 벌어진 내전

소말리아는 1991년을 시작으로 현재까지 30여 년 동안 내전에 시달리고 있다. 무정부 상태의 무법천지에서 살인과 약탈, 무자비한 폭행과 파괴행위가 계속되었다. 물가는 폭등하여 무거운 돈가방을 끌고 다녀야 겨우 필요한 물건을 구입하는 지경이 되었다. 내전이 계속되는 동안 30만~50만여 명이 목숨을 잃었고 57만여 명이 난민이 되었으며 140만여 명이 살던 곳에서 쫓겨나야 했다. 내전에서 승리하기 위해 정부군과 반군은 각각 소년병을 동원하여 살인 병기로 사용했다. 정부군은 병력의 20%에 달하는 5,000여 명에서 1만여 명의 소년병을 동원했고 반군 역시 병력의 80%가 소년병으로 구성되었다. 소년병 중에는 9살 어린이도 있었다.

소말리아 내전은 1차 내전과 2차 내전으로 나뉜다. 1차 내전은 바레 정권을 무너트리기 위한 쿠데타로 시작되어 그 쿠데타에 대항하는 반군 세력 간의 내전으로 진행되었다. 바레 정권을 무너트린 USC에 대항한 세력으로는 소말리아애국운동(SPM)과 소말리아민주동맹(SDA), 소말리아민족운동, 가다부르시 그룹 등이 있다. 이들 사이에 권력의 공백을 차지하고 수도 모가디슈에 대한 통제권을 획득하기 위한 치열한 내전이 계속되었다. 그중 가장 큰 세력은 알리 마흐디 무함마드

(1939~ )장군과 무함마드 파라 아이디드(1934~1996) 장군이 이끄는 무장 세력이었다. 국제 사회는 소말리아 내전을 종식시키기 위해 소말리아 이웃에 있는 지부티 국가에서 국제 회의를 열어 USC를 이끌고 있는 알리 마흐디 무함마드에게 정통성을 부여해 주었다. 그렇다 해도 마흐디 대통령의 통제권은 수도 모가디슈에만 한정되었다. 남부는 군대를 앞세운 군벌 세력들로, 북부는 자치권을 행사하겠다는 여러 자치구로 나뉘어 싸우고 또 싸웠다. 이 과정에서 1991년에 영국령이었던 소말릴란드가 소말릴란드 공화국을 선포하였다. 그러나 아직 국제 사회의 승인은 받지 못한 상태이다.

소말리아의 분열을 진정시키기 위해 유엔 안전보장이사회는 1992년의 733호와 746호 결의안을 통해 인도주의적 차원에서 소말리아를 지원하기로 결정했다. 미국이 주도하는 유엔 평화유지군을 파견하여 특히 남부에서 치안을 유지하도록 한 것이다. 소련은 이런 움직임에 대해 어떻게 반응했을까? 당시 사회주의 진영이 붕괴하고 1991년에 소련 해체가 선포된 이후여서 소련은 미국을 중심으로 한 유엔의 다국적군 파견에 이견을 달지 못했다.

그러나 뜻하지 않은 일이 일어났다. 권력 장악을 노린 아이디드 장군이 자신의 권력 독점에 위협이 될 것을 염려하여 1993년에 '모가디슈 전투'를 일으킨 것이다. 이 전투는 다국적군에 속한 파키스탄 군대에 대한 공격으로 시작되었는데, 미군을 포함한 유엔 평화유지군은 '대학살'

이라는 용어가 공식적으로 사용될 정도로 큰 피해를 입었다. 특히 미군 블랙호크 헬리콥터 2대가 격추되면서 19명의 미군이 전사했고 모가디슈 전투 동안 무려 1,000여 명이 넘는 사람들이 생명을 잃었다. 결국 유엔 평화유지군은 소말리아에 대한 철수를 결정한다. 공식적으로는 평화유지군의 임무가 '실패'하게 된 것이다.

그러나 국제 사회가 소말리아를 포기한 것은 아니다. 모가디슈 전투 이후에도 유엔, 아프리카 연합, 아랍 연맹, IGAD(동아프리카 정부 간 기구) 등이 나서서 여러 차례 국제 회담을 열어 소말리아의 평화 구축을 위해 노력했다. 드디어 노력이 결실을 맺어 2004년 소말리아에 영향력을 끼치고 있는 분파의 지도자들이 과도연방정부 구성에 합의했다. 사람들은 이제 소말리아 내전이 끝날 것으로 기대했다.

그런데 곧 2차 내전이 발발했다. 소말리아를 이슬람근본주의 국가로 수립하겠다는 이슬람법정연합(ICU: Islamic Courts Union)이 2004년에 등장하여 과도연방정부에 대항하면서 시작되었다. 과도연방정부를 지원하는 에티오피아는 2006년에 미군의 도움을 받아 '소말리아 전쟁'으로 불리는 내전에 개입하여 모가디슈를 점령하고 ICU를 완패시켰다. 그런데 ICU가 여러 단체로 분열되어 과도연방정부에 저항하는 가운데, 극단적 무장 세력인 알샤바브(Al-Shabaab)가 등장했다. 아프리카 연합이 아프리카연합평화유지군(AMISOM: African Union Mission to Somalia) 수천 명을 보내 에티오피아군을 지원했지만 알샤바브를 진압하지 못했고 에티오피아군도 2009년에 철수했다. 알샤바브는 계속하여 잔인한 살상과 약탈, 방화와 인질극, 자살폭탄테러 등 말로 다 표현하기 어려운 폭력을 자행했다. 그들의 저항이 매우 집요하고 강력해서 결국 과도연방정부는 전 국토에 대한 통제권을 잃고 말았다. 그러자 자치권을 요구하는 지방 정부 5곳의 목소리마저 커지게 되었다. 소말리아는 이러한 악조건 속에서 2012년 선거를 통해 의회를 구성하고 연방정부를 발족시켜 무정부 상태에서 벗어나려 노력했다.

그럼에도 상황은 더욱 악화되었다. 2015년부터는 시리아 등에서 세력을 넓혀 온 IS가 침투하여 알샤바브를 적극 지원하면서 소말리아 내전은 끝을 알 수 없는 장기전으로 들어갔다. 이러한 가운데 미국 대통령에 당선된 트럼프가 2021년 1월에 소말리아에 파견된 미군을 전격 철수시켰다. 이에 아프리카 연합은 2022년 4월부터 우간다, 케냐, 부룬디, 지부티, 에티오피아 군인 2만 명으로 구성된 과도임무수행군단(ATMIS, African Union Transition Mission in Somalia)을 구성하여 알샤바브를 진압하려 했지만 이들의 끈질긴 저항은 아직도 계속되고 있다. 심지어 알샤바브는 지금도 시시때때로 모가디슈에 출몰하여 동시다발적 자살 폭탄 테러를 자행하고 있다.

## 소말리아인들 중에
## 해적이 많은 이유

사실 소말리아에 해적이 극심한 이유는 오랜 분쟁 과정에서 중앙 정부가 전국의 통제권을 상실했기 때문이다. 굶어 죽지 않기 위해 소말리아인들은 해적이 되었고, 그들의 해적질은 '조금 위험한' 생존 방식의 하나라고 할 수 있다. 그나마 우리나라의 상록수 부대를 비롯한 평화유지군의 활동으로 최근 몇 년 동안 해적에 의한 납치나 폭력적 피해는 잦아들었다. 현재 소말리아에 닥친 가장 심각한 문제는 기후 위기에 의한 기아 문제이다. 아일랜드의 국제인도주의단체 컨선월드와이드가 발표한 2021 세계기아지수(Global Hunger Index) 보고서에 따르면 소말리아는 조사 대상 135개국 중 기아 위험 1위로, 전 세계에서 유일하게 '극히 위험' 수준의 기아로 고통 받는 나라로 분류되었다. 유엔아동기금을 비롯한 국제단체들은 파리에서 가진 공동 기자 회견을 통해 소말리아 등에서는 평균 매 36초마다 1명씩 굶어 죽는다는 결과를 발표했다. 인도적 지원 없이는 생존조차 불가능한 소말리아인이 전체 인구 950만여 명의 3분의 1에 달한다고 한다. 2023년 5월에 국제아동구호단체인 세이브더칠드런도 40년 만에 가장 심각한 가뭄에 이어 30년 만에 닥친 홍수로 소말리아 아동과 지역 사회가 기후 위기 최전선에 놓여 있다고 하면서 국제 사회에 도움을 호소했다.

막다른 골목에 놓인 소말리아에 도움의 손길을 보낸 나라가 있다. 2023년 7월에 러시아가 소말리아의 부채 6억 8,400만 달러(약 8,770억 원)를 탕감하는 협정에 서명하여 소말리아와 적극 손을 잡기 시작한 것이다. 이것은 최근 소말리아와 케냐가 분쟁해 온 인도양 해역이 국제사법재판소에 의해 소말리아의 해역으로 판정된 것과도 관련이 있다. 러시아가 내전 종식 이후를 벌써 계산에 넣고 있음을 보여 준다. 세계의 자원은 고갈되고 있는데 소말리아 해역으로 판정된 곳에 상당량의 석유와 천연가스가 매장된 것으로 추정되기 때문이다.

그런가 하면 주변국이 소말리아 평화의 방해 요소가 되기도 한다. 에티오피아가 그렇다. 내륙국인 에티오피아는 2024년 국제 사회로부터 인정받지 못하고 있는 소말릴란드를 국가로 인정하는 한편, 소말릴란드의 베르베라 항구를 에티오피아가 자유롭게 이용하기로 한 것이다. 소말리아 정부는 이에 반발하고 있지만, 두 나라의 양해 각서는 일사천리로 진행되었다. 국제 사회 일각에서는 소말리아를 '실패한 국가' 대신 '취약 국가(Fragile State)'로 지칭하고 있다. '실패한 국가'는 국민을 효과적으로 통치할 수 있는 능력을 상실하여 거의 무정부 상태에 빠진 국가를 말하는데, 소말리아는 2012년에 연방정부가 수립되어 반정부 무장 세력을 진압시키기 위해 노력 중이므로 '취약 국가'로 보아야 한다는 것이다.

한편, 2023년부터 모가디슈 해변에서 소말리아의 평범한 시민들이 자발적으로 나서서 내전 기간 동안 해변에 쌓인 엄청난 양의 쓰레기를 청소하는 자원봉사를 전개하고 있다. 원래 모가디슈 해변은 '황금 해변'으로 불릴 정도로 상업과 무역이 발달한 아름다운 해상 교통의 요지였다고 한다. 소말리아를 떠나 에티오피아의 난민 캠프에 머무르는 난민들 대부분은 성폭력이 난무하고 의료·보건 혜택을 받을 수 없는 고향으로 다시는 돌아가고 싶지 않다고 절규했지만, 일부는 내전의 종식을 꿈꾸며 그들의 터전을 청소하고 있는 것이다. 국제 사회와 함께 이 책을 읽는 우리 모두 소말리아의 평화를 응원했으면 한다.

## 소말리아 분쟁과 메뚜기 떼의 공격은 어떤 관련이 있을까?

기후 위기는 분쟁 중인 소말리아를 최악의 상황으로 밀어 넣었다. 40여 년 동안 계속된 가뭄으로 굶주림이 계속된 소말리아에 사막 메뚜기 떼가 습격을 했다. 놀랍게도 $1km^2$의 넓이에 최대 1억 5,000만 마리가 날아온 것이다. 사막 메뚜기 한 마리는 고작해야 2g 정도지만, 자기 몸무게만큼의 곡식을 먹어 치우는 식충이다. 한 무리의 메뚜기 떼가 움직이면 3만 5,000여 명이 먹을 수 있는 작물이 한순간에 사라진다. 게다가 모래 바람을 타고 하루에 150km를 날아갈 수 있다.

결국 소말리아 정부는 2020년 2월 2일에 메뚜기 떼와 관련한 비상사태를 선포한다. 사막 메뚜기 떼가 곡식은 물론 동물들의 먹이인 사료까지 먹어 치우는 바람에, 그렇지 않아도 기아 상황에 놓인 소말리아의 식량 안보 상황을 더 큰 위기로 몰아넣었기 때문이다. 이 사막 메뚜기 떼는 소말리아의 이웃인 케냐까지 이동하여 105만 ha의 농경지를 황무지로 변하게 했다. 이웃 나라까지 피해를 주는 사막 메뚜기 떼를 소탕하기 위해서는 비행기로 살충제를 뿌려야 하는데 메뚜기 떼가 창궐하고 있는 남부 지역을 알샤바브가 장악하고 있어서 소말리아 정부는 비행기를 띄울 수가 없었다. 분쟁이 메뚜기 떼를 자유롭게 날아다니게 한 것이다. 전문 연구자들은 지구를 뒤흔들고 있는 기후 위기가 사막 메뚜기 떼의 비정상적인 번성을 가져왔다고 분석하고 있다.

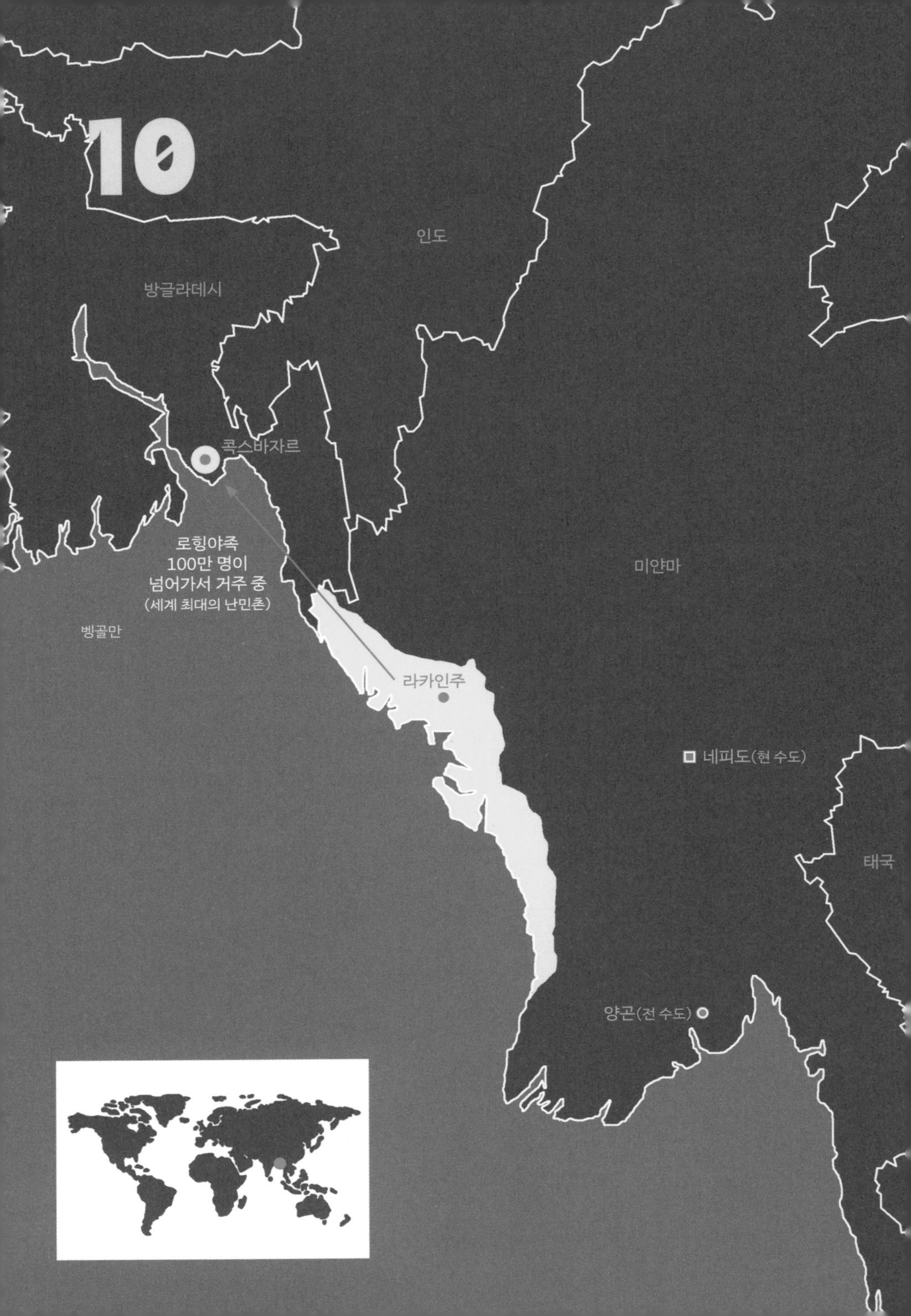

10
인도
방글라데시
콕스바자르
로힝야족
100만 명이
넘어가서 거주 중
(세계 최대의 난민촌)
벵골만
미얀마
라카인주
네피도(현 수도)
태국
양곤(전 수도)

# 로힝야족에게 무자비한 탄압을 가한 미얀마

로힝야족 관련 연표

1948 버마 연방 공화국 수립
1982 시민권법 개정
2015 미얀마 민주 정권 수립
2017 미얀마군, 로힝야족 대량 학살
2021 미얀마 군부, 쿠데타로 정권 장악

그때 우리는

1948 대한민국 정부 수립
1980 5.18 광주 민주화 운동
2015 일본과 일본군 '위안부'에 대해 최종적이고 불가역적인 합의
2016 촛불 혁명

*로힝야족은 대가족을 이루어 사는 전통이 있어 가족 중에 어린아이들이 많다. 미얀마군의 집단 학살을 피해 국경을 넘어 방글라데시로 피신하던 로힝야족 대가족은 결코 잊을 수 없는 불행한 일을 겪었다.*
*이 가족을 붙잡은 미얀마군이 어린아이들을 무자비하게 성폭행한 것이다. 이러한 사실은 방글라데시 국경 지대에 위치한 난민 캠프에서 활동하던 '국경없는의사회'에 의해 세계에 알려졌다.*
*의사들은 성폭력을 당한 18세 미만의 로힝야족 소녀들을 치료하고 심리 상담을 했는데, 그중에는 10세 미만의 어린이들도 있었다.*

## 식민 통치에서 비롯된 미얀마 주류 버마족과 이주민 로힝야족의 반목

미얀마의 이전 국명은 '버마(Burma)'이다. 버마는 식민지에서 독립한 후의 국명으로, 1989년에 '미얀마 연방 공화국'으로 바꾸었다. 육지에 있는 동남아시아 국가 중 가장 넓은 영토를 가지고 있는 미얀마는 태국과 인도 사이에 위치하고 있다. 제2차 세계 대전이 발발하기 전까지 동남아시아는 강대국들끼리 경쟁하며 나누어 먹기 식으로 통치하던 식민지였다. 동남아시아에서 오직 태국만이 유일한 독립국이었다. 영국의 식민 통치를 받았던 미얀마는 주류인 버마족 외에 135개의 소수 민족이 함께 살고 있는 나라이다. 그런데 정치권력을 독점하고 있는 버마족은 유독 로힝야족을 괴롭히고 탄압하며 인간 이하의 대우를 하고 있다. 심지어 로힝야족을 부를 때 '벵갈리'라고 부르는데, 이 말은 미얀마 국민이 아니니 너희가 처음 살았던 방글라데시로 돌아가라는 뜻의 경멸적인 천대를 담고 있다.

하지만 로힝야족은 자신들을 미얀마 토착인이라고 주장한다. 그들은 이미 1,000년 전부터 미얀마 서부 해안에 살았고 그곳의 이슬람 국가이자 독립 왕국이던 아라칸(Arakan) 왕국의 후손이라는 것이다. 이에 대해 미얀마의 국가 권력을 잡고 있는 군부 등은 로힝야족이 영국의 '분할 통치'에 의해 의도적으로 동벵골에서 이주 당한 '이주민 집단'

일 뿐이라고 주장한다. 분할 통치란 식민지에서 독립을 추구하거나 쟁취하려는 민족 또는 세력을 약화시키기 위해 반대편 입장에 있는 집단에 통치권을 주어서 민족과 계층 간의 갈등과 사회 혼란을 야기시키는 것을 말한다. 영국은 미얀마의 주류이며 인구 65%에 달하는 버마족이 무장 단체를 조직하여 식민 통치에 저항하자, 영국 식민 정권에 고분고분하고 이슬람교를 믿는 인도·아리아 계통의 소수 민족인 로힝야족을 동벵골에서 가까운 해안지역 아라칸에 대거 이주시켜 식민 정권을 위한 관리 집단으로 삼았다. 그렇게 해서 늘어난 로힝야족 인구 대부분이 옛 아라칸 지역인 현 라카인주에 살고 있는데, 미얀마 군부에 의해 대대적인 학살과 탄압이 일어나기 전의 인구 수는 140만여 명에 달했다.

## 시민권을 박탈한 미얀마 군부에 의해 인간다운 삶을 포기하고 난민이 된 로힝야족

영국 식민 정권이 로힝야족을 이주시킨 주된 이유는 값싼 노동력으로 비옥한 아라칸 지역을 경작하여 최대한의 작황을 내기 위해서다. 처음에는 수천 명이 건너왔지만, 곧 그 숫자가 수만 명을 넘어 수십만 명에 이르렀다. 로힝야족의 기원을 추적한 연구자들은 현재 로힝야족 일부만 천여 년 전 아라칸 왕국에 살던 무슬림(이슬람교도)의 후손이고, 대부분은 19세기 이후 영국의 식민지였던 인도, 특히 동벵골 지역에서 건너온 사람들의 후손이라고 밝히고 있다.

제2차 세계 대전이 끝나고 1948년에 미얀마는 드디어 영국에게서 버마 민주 공화국 연방으로 독립을 했다. 독립의 영웅은 버마족의 리더이자 미얀마의 국부인 아웅산 장군이었다. 세계 대전 중에 미얀마를 통치하고 있던 영국은 일본과 손을 잡은 버마 저항 세력을 공격했는데, 로힝야족으로 구성된 군단을 투입하여 10만여 명에 이르는 불교도 버마인들을 학살했다. 이것이 미얀마 독립 이후 로힝야족이 겪어야 했던 국가적 탄압의 주요 배경이 되었다. 즉 미얀마 독립을 경계로, 어제의 지배층이던 로힝야족은 미얀마 사회의 최하층으로 떨어지고 식민 정권에게 쫓기던 버마 독립 세력은 미얀마의 정권을 세워 상류층으로 부상한 것이다.

그래도 로힝야족은 1962년에 군부가 쿠데타에 의해 정권을 잡기 전까지 미얀마의 소수 민족으로 생활할 수 있었다. 미얀마 국민으로 투표권을 행사할 수 있었고 제헌의회에서는 2명의 로힝야족 제헌 의원이 의회에 진출했다. 그중 마 가파(1910~1966)는 미얀마 연방 정부에 '로힝야'를 민족의 공식 이름으로 사용하는 것을 허용해 달라는 호소문까지 냈다. 1951년 의원 선거에서 로힝야족은 6명의 의원을 배출했는데 그중 한 명인 주라 베굼(1919~1990)은 미얀마 연방 공화국이 배출한 최초의 여성 의원 2명 중 하나였다. 또 당시 우 누(1907~1995) 총리는 1954년의 대국민 라디오 연설에서 '로힝야족' 이름을 거명하기도 했다. 하지만 공식적으로 로힝야족이라고 불린 건 그것이 마지막이었다. 쿠데타가 일어나 군부가 정권을 잡았기 때문이다.

미얀마는 소수 민족들마다 분리주의를 주장하며 무장 세력을 갖추는 바람에 사회가 매우 불안한 상태였다. 1962년에 네 윈(1911~2002) 장군은 독재 정권을 이루고 정권에 반대하는 세력들을 탄압하며 살얼음판 같은 정국을 유지해 나갔다. 계엄령을 선포하여 강압적인 군사 독재 통치를 이루어 나갔는데, 군부 집단이 창당한 버마 사회주의 강령당이 1988년까지 26년 동안 정권을 유지했다. 군부 통치에 대한 국민의 불만이 높아져서 1988년 8월에는 전국적인 888항쟁까지 일어났지만, 군부 세력은 저항 세력을 누르고 철권 정치를 이어갔다. 그리고 군부를 비판하는 국민들의 화살을 교묘하게 로힝야족으로 돌렸다. 로힝야족이 식민 통치에 협조하며 식민 정권에 기생했던 부패 세력임을 일깨우면서, 불교가 아닌 이슬람교를 믿는 로힝야족을 차별하고 핍박하도록 여론을 몰아갔다. 더구나 로힝야족은 1982년부터 시행된 미얀마의 135개 소수 민족의 시민권을 규정한 법에서 제외되었다. 군정이 개정한 시민권법이 제1차 영국 · 미얀마 전쟁(1824) 이전부터 미얀마에 거주한 사람들만 소수 민족으로 인정하기로 했기 때문이다.

이후 무려 140만여 명에 이르는 로힝야족이 시민권을 박탈당하여 무국적자가 되는 아픔을 겪었다. 시민권이 없는 로힝야족 어린이들은 교육을 제대로 받을 수가 없었다. 로힝야족 부부는 아이 한 명만 낳는 조건으로 36만 원 정도의 돈을 내고 결혼허가증을 발급받아야 했다. 이를 어기고 둘 이상 낳은 부부 또는 비혼 여성에겐 최대 징역 10년형이 선고되었다. 수시로 군인들이 여성들의 자궁 부분을 막대기로 치면서 임신 여부를 검사하는 공포를 겪어야만 했다. 로힝야족 여성들은 규정을 어기고 아이를 임신할 때마다 비위생적인 환경에서 불법 낙태를 받아야 했고 목숨을 잃는 일도 흔했다. 로힝야족은 몸이 아파도 국립병원에 갈 수 없었고 민간 병원에서는 치료를 거부당하거나 뇌물을 바쳐야 했다. 가는 곳마다 이동 허가서를 보여 주고 통행세를 내야 했으며 국가가 제공하는 공공시설을 정당하게 이용할 수도 없었다. 죽도록 노동을 해서 겨우 받은 임금도 이런 저런 구실을 붙여 빼앗아 가는 통에 피눈물을 흘려야 했다.

## 세계에서 가장 박해받는 소수 민족

그런데 사실 2012년 이래로 로힝야족이 겪은 비극과 수난에 비교하면 그전의 일들은 아무것도 아니다. 2012년에 로힝야족 10대 청소년들이 라카인주에서 한 불교도 여성을 집단 성폭행하고 살해하는 사건이 일어났다. 분노한 불교도 민족주의자들이 닥치는 대로 로힝야족을 향해 무차별 공격을 행했고 이는 민족과 종교 간의 분쟁으로 커지면서 수백 명의 로힝야족이 죽임을 당했다. 라카인주에서만 14만여 명의 로힝야족 집이 불태워져 그들은 하루아침에 살 곳을 잃었다. 미얀마 정부는 로힝야족을 잡는 즉시 살아 나오기 힘든 강제 수용소에 가두었다. 수용소에 붙잡힌 로힝야족은 죽음보다 더한 고통을 겪어야 했다. 미얀마에 남아 있으면 불에 타 죽거나, 맞아 죽거나, 강제 수용소에 끌려가야 하니 살 수 있는 길은 배를 타고 미얀마를 탈출하는 것뿐이었다. 유엔의 발표에 의하면 약 10만 명의 로힝야족이 보트 피플이 되어 바다로 탈출했다고 한다. 유엔은 로힝야족 보트 피플이 도착할 수 있는 태국, 말레이시아와 인도네시아 등에 국제법을 존중하여 도움을 주어야 한다고 촉구했지만 동남아시아 각국은 가난한 로힝야족이 자국에서 난민으로 생활하는 것에 거부감을 느끼고 외면했다.

한 예를 들어보자. 300명의 보트 피플을 태운 배가 엔진이 고장 나서 태국 해안에 좌초되었다. 태국 해군과 국방부는 난민들에게 배를 수리하게 한 후 피난처를 제공했다고 주장했지만, 다른 소식통에 의하면 이들에게 자국의 해안에서 멀리 떨어지라고 위협했다고 한다. 결과는 어떻게 되었을까? 300명을 태운 배가 흔적도 없이 바다에서 사라졌다. 어떤 나라도 이들을 받아들이려고 하지 않았기 때문에 결국 동남아시아 해안을 돌고 돌다가 연료와 식량이 모두 떨어져 죽음에 이르게 된 것이다. 이러한 사태를 국제 사회에서는 '2015년 로힝야족 난민

위기'라고 한다. 동남아시아 각국이 로힝야족을 받아들이지 않자 그들에게 손을 벌리며 자국으로 오라고 한 나라들이 있었다. 전 세계에서 가장 가난한 나라로 알려져 있는 아프리카의 잠비아와 소말리아였다. 동남아시아 난민이 아프리카까지 가야할 상황에 놓인 것이다. 이에 대한 국제적 여론이 악화되자 동남아시아 각국은 비로소 이들을 받아들이기 시작했다.

그런데 2017년, 더 끔찍한 학살이 미얀마에서 일어났다. '지렁이도 밟으면 꿈틀한다'는 말처럼, 오랫동안 핍박을 받아온 로힝야족 일부가 미얀마 정부에 저항하는 '아라칸 로힝야 구원군(ARSA)'이라는 반군 단체를 조직하여 반정부 활동을 전개하기 시작한 것이다. ARSA는 적극적인 대미얀마 항전에 나설 것이라고 선포한 후 2017년 8월, 로힝야족의 대다수가 거주하고 있는 라카인주에서 경찰 초소 24곳과 군 기지 등을 습격했다. 그런데 이 사건이 엄청난 비극을 낳았다. 미얀마군은 즉각 ARSA를 테러 단체로 규정한 후 중장무기를 갖춘 대규모의 병력을 투입하여 대대적인 토벌에 나섰다. 어린아이, 노인, 부녀자 할 것 없이 닥치는 대로 로힝야족을 학살했고 가옥에 불을 지르고 로힝야족 여성들을 붙잡아 끔찍한 성폭행을 저질렀다. 집단 성폭행을 당하는 여성 앞에서 8개월 된 아기를 살해하는가 하면 엄마한테 그러지 말라고 울부짖는 5살 여자아이를 장검으로 찔러 죽이기도 했다. 2만 5,000여 명이 미얀마군에 의해 학살되었고 수많은 로힝야족이 이유도 없이 체포되거나 구금되어 고문과 모진 학대를 당했다. 체포된 사람 중 일부는 끔찍한 고문으로 악명 높은 '악마의 교도소', 인세인 교도소로 끌려갔다. 교도소에 갇힌 로힝야족들은 매일같이 구타와 언어 폭력에 시달리면서 중노동을 해야 했다. 생필품과 식량 공급이 제대로 이루어지지 않아 영양실조로 쓰러져도 치료도 잘해 주지 않는 바람에 죽음에 이르렀다. 로힝야족이 살 수 있는 길은 미얀마를 탈출하는 것뿐이었다.

국제 사회는 미얀마 군부가 인종 청소를 통해 로힝야족을 말살하고 있다고 맹렬히 비판했다. 특히 2019년에 아프리카의 감비아는 집단 학살을 저지른 혐의로 미얀마를 국제사법재판소에 고발했지만 많은 어려움 속에 매우 느리게 재판이 진행 중이다. 국제 사회에는 '인도에 반한 죄' 등 전쟁범죄를 다루는 상설 재판기구인 국제형사재판소(ICC)가 있다. 기소권을 행사하려면 유엔 안전보장이사회가 나서야 하는데 안전보장이사회의 상임이사국인 중국이 미얀마와 협력 관계에 있어 기소를 반대하는 통에 재판정에 세우지 못하고 있다.

한편 로힝야족은 미얀마가 국가의 이름으로 휘두르는 학살에서 살아남기 위해 필사적으로 노인과 어린이를 데리고 국경을 넘어 방글라데시로 피신했다. 2012년 사태로 이미 방글라데시로 몸을 피했던 난민 외에 2017년에만 74만여 명의 난민이 발생하여, 방글라데시 콕스바자르 지역에서는 현재까지 100만 명 이상의 난민이 생활하고 있다.

## 비참한 난민촌을 탈출하여
## 또다시 보트피플로 바다를 떠도는 로힝야족

미얀마 정부는 로힝야족이 탈출하자 라카인주에 있는 로힝야족 토지의 소유권을 국부 소속 국경 경비대로 이전한 후, 불도저로 로힝야족 마을을 흔적도 없이 밀어 버렸다. 난민촌으로 탈출한 로힝야족의 삶은 말할 수 없이 비참하고 열악하다. 방글라데시 국경 지대에 위치한 콕스바자르 난민 캠프는 세계 최대 규모의 난민촌이라는 명성에 걸맞게 시작 부분인 쿠투팔롱(Kutupalong) 캠프부터 끝부분에 있는 테크나프(Teknaf) 캠프까지의 거리가 약 50km에 달한다. 유엔세계식량계획(WFP)의 지원마저 예산 부족으로 대폭 줄어들고 있다. 그동안 WFP는 난민 1인당 매달 12달러(약 16,400원) 정도의 식량 바우처를 지원해 왔는데, 이제는 지원 규모를 8달러로(약 1만 원) 대폭 삭감한 것이다. 국경없는의사회 등 난민촌에서 자원 봉사를 하고 있는 국제 구호 단체들은 그 영향으로 임신한 여성이나 갓난아이에게 수유를 해야 하는 여성들, 또 5세 미만 어린이들이 영양실조에 걸릴 수 있다고 우려하고 있다.

로힝야족 난민의 하루 생활비는 고작 '4,700원'이다. 노동을 해도 방글라데시가 정한 규정에 따라 하루 노임은 최대 시급 80타카(약 950원)밖에 받지 못한다. 그러다 보니 배고픈 배를 움켜쥐고 각종 범죄에 손을 뻗고 있다. 마약 밀수와 인신매매가 벌어지고 무장 단체가 조직되어 불법적인 통로로 총기를 들여와 일주일이 멀다 하고 총구가 불을 뿜고 있다. 총이 난사될 때 그 대상은 어린이, 노인을 가리지 않는다. 2023년 3월에는 난민촌에 대형 화재가 일어나 약 1만 2,000여 명의 로힝야족이 집을 잃었고 치료 시설과 학습센터 90곳 이상의 시설이 잿더미로 변했다. 그런데도 방글라데시 정부는 긴급 구호보다는 난민촌의 치안 유지를 위한 군대 인력에만 집중하고 있다. 한마디로 난민촌의 생활은 매우 비참하고 희망이 없다. 방글라데시 정부는 로힝야족

» 방글라데시 쿠투팔롱에 꾸려진 로힝야족 난민 캠프의 열악한 모습(출처: 위키피디아) «

난민이 자국에 영구 정착할 것을 우려하여 난민 어린이들에 대한 교육을 금지하는 바람에 교육 기회마저 박탈당했다. 오죽하면 배급받은 식량을 다 먹지 않고 아껴 두었다가 시장에 내다 팔기까지 한다.

한편 물가가 폭등하고 경제가 매우 어려워진 방글라데시 정부는 노골적으로 로힝야족을 미얀마로 돌려보내는 방안을 세우고 있다. 방글라데시 총리는 최근 유엔 인권위원회 대표에게 "로힝야족 난민은 미얀마 국민"이므로 미얀마로 돌아가야 한다고 주장했다. 방글라데시 정부가 6,000명의 1순위 귀환자 리스트를 작성하자 로힝야족에게 공포가 몰아쳤다. 돌아가면 살아남기가 어렵다는 것을 너무나 잘 알기 때문이다. 현재 미얀마 정권은 2021년에 민주 정권을 무너트리고 쿠데타로 집권한 군부가 장악하고 있는데, 쿠데타를 일으킨 군부의 최고 사령관인 민 아웅 흘라잉(1956~ )은 2017년 로힝야족 학살 당시의 실권자였다. 비록 2024년에 반정부군의 타격으로 태국과의 국경 지대에 있는 전략적 거점을 반군에게 내주는 뼈아픈 손실을 입었지만 군부 정권은 아직 건재하다.

결국 최근에는 이슬람교 국가인 말레이시아로 밀항하려는 로힝야족들이 또다시 보트 피플의 길을 택하고 있다. 그러나 고래 등에 밟힌 새우의 등을 치는 집단들이 있기 마련이다. 한 사람당 수백만 원의 돈을 받고 나무 배에 태워 난민촌을 탈출시키는 브로커들이다. 이들은 돈만 받고 엉뚱한 지역에 로힝야족을 내려놓거나 물과 식량을 달라는 로힝야족에게 무자비한 폭력을 휘두르기도 했다. 그 과정에서 수많은 로힝야족이 바다를 떠돌다가 귀중한 목숨을 잃었다.

로힝야족은 지금도 고향인 미얀마로 돌아가고 싶다고 절규하고 있다. 그들의 희망은 조국인 미얀마로 돌아가 당당히 시민권을 얻고 그들이 태어나고 자란 삶의 터전에서 사람답게 사는 것이다. 그들의 희망이 이루어질 수 있도록 국제 사회가 한마음 한뜻으로 더 큰 목소리를 내어 미얀마 정부의 진정한 사과와 시민권의 인정, 학살과 피해에 대한 정당한 보상이 이루어질 수 있도록 힘을 실어 주는 노력이 필요하다.

## 노벨 평화상에 빛나는 아웅산 수치가 국제 사회에서 비난받는 까닭은?

미얀마에는 노벨 평화상에 빛나는, 미얀마 국민의 존경을 한 몸에 받고 있는 여성이 있다. 미얀마의 국부 아웅산 장군의 딸, 아웅산 수치(Aung San Suu Kyi, 1945~ )이다. 그녀는 미얀마 민주화의 상징과 같은 존재로, 군부의 폭압적인 통치에 맞서서 가택 연금 15년 기간을 포함해 27년간 미얀마 민주화를 위한 투쟁을 줄기차게 이끌었다. 그 결과 2015년 총선에서 그녀가 이끈 민주주의민족동맹(NLD)이 압승을 거두어 마침내 문민 정권을 수립했다. 세계는 그녀에게 앞다퉈 자국의 명예 시민권과 인권상을 수여했고 인권 박물관에도 그녀의 일대기가 소개되었다.

그런데 2019년에 수치 고문이 로힝야족 학살 문제 취재 중 경찰에 체포되어 7년 형을 선고받은 로이터 통신 기자 두 명을 석방하지 않을 것을 분명히 밝히자, 이러한 명예들이 전격적으로 취소되었다. 영국 옥스포드 시의회의 명예 시민상과 한국의 5·18 기념재단의 광주 인권상, 캐나다 상원 의회의 명예 시민권이 박탈되었고 캐나다 인권 박물관은 그녀와 관련한 전시물을 철거했다. 미국 홀로코스트 추모 박물관도 2012년에 그녀에게 수여한 엘리 비젤상을 취소하면서 "폭력에 눈감는 이에게 명예는 없다"고 이유를 밝혔다. 그녀는 집권 기간 내내 잔혹한 로힝야족의 학살을 용인하고 묵인했다. 심지어 2019년 국제사법재판소에 미얀마 집단 학살에 대한 국제 재판의 증인으로 출석했을 때도 학살 의혹을 부인했다. 그녀의 이러한 행위는 85%가 불교도인 유권자들의 지지를 받기 위한 것으로 예측되었다. 그러나 앞에서 말한 대로 수치 고문의 민주 정권은 2021년에 군사 쿠데타로 무너졌다. 현재 그녀는 군부가 장악한 미얀마 법정에서 33년의 징역형을 받고 복역 중이다.

» 2013년 10월에 프랑스에서 열린 유럽의회에 참석한 아웅산 수치(출처: 위키피디아) «

11
■ 과거 티베트 지역
간쑤성
신장 위구르 자치구
칭하이성
티베트 자치구
쓰촨성
라싸
네팔
부탄
방글라데시
인도
미얀마
라오스
태국

# 중국의 소수 민족 지배 정책에 분신과 망명으로 저항한 티베트

### 티베트 관련 연표

1940 티베트, 제14대 달라이 라마 즉위
1950 중국, 티베트 침공(~1951)
1951 중국, 티베트 합병
1959 제14대 달라이라마, 인도에 망명 정부 수립
2009 티베트인들의 분신 시위 시작

### 그때 우리는

1940 일제 창씨개명 실시
1948 대한민국 정부 수립
1950 6·25 전쟁(~1953) 발발
1960 4·19 혁명
2009 제16대 대통령 노무현 타계

*2022년 2월 25일, 피아노를 치며 티베트어로 노래하는 유명 가수인 체왕 노르부(Tsewang Norbu, 1996~2022)가 티베트의 수도 라싸의 포탈라궁 앞에서 티베트 독립 구호를 외치며 자신의 몸에 불을 붙였다. 당시 그의 나이는 25세. 결혼하여 딸을 하나 둔 가장이었다. 결국 티베트 자치구 인민 병원에서 숨을 거둔 그는 2009년에 티베트 독립을 부르짖으며 분신한 첫 번째 희생자에 이어 157번째로 분신한 티베트인이었다.*

## 태고의 신비를 간직한 평화로운 고원에서
## 쿤둔을 숭앙해 온 티베트

세계에서 가장 높은 산은 약 8,848m에 달하는 에베레스트산이다. 하지만 그 이름은 서양인들이 붙인 것이다. 티베트인들은 이 산을 '초모룽마(Chomo lungma, 珠穆朗瑪)'라고 부른다. 여러 가지 뜻으로 풀이될 수 있지만 티베트인들에게는 '성스러운 어머니', 혹은 '눈의 여신'을 의미한다. 티베트인들은 에베레스트산을 품은 히말라야산맥과 '세계의 지붕'으로 불리는 태고의 신비를 간직한 고원에서 대대로 유목을 하며 살아왔다. 그들은 매우 가난하지만 평화롭게, 고달픈 삶이지만 순수한 마음으로 티베트 불교를 마음을 다해 믿었다. 그들에게는 현존하는 신이 있다. 바로 '쿤둔'이다. 쿤둔은 '살아있는 부처'라는 뜻이다. 티베트 불교에서 수행이 높아 영적인 스승의 경지에 다다른 승려를 '라마'라고 부르기 때문에 티베트 불교를 '라마교'라고도 한다. 그런데 쿤둔은 라마 중에서도 전생을 기억할 뿐 아니라 바다와 같은 지혜와 덕을 갖추고 있어 '달라이 라마'라고도 칭한다. 티베트인들이 관세음보살의 화신이라고 믿고 있는 쿤둔은 티베트인들의 열광적인 숭배를 받으며 그들의 삶과 정신을 지배해 왔다.

쿤둔이 머무르는 포탈라궁은 티베트 최고의 성지다. 포탈라궁을 처음 건설한 왕은 티베트 역사상 가장 강력한 패권을 차지했던 토번의

» 라싸에 위치한 포탈라궁은 유네스코 세계유산으로 지정되어 있다(출처: 위키피디아). «

송첸감포(581~649)이다. 송첸감포의 위력이 얼마나 대단했는지 중국 역사상 강대국으로 손꼽혔던 당도 그 기세에 숨죽일 정도였다. 당나라 전성기를 이끈 당태종은 송첸감포를 달래기 위해 친딸은 아니지만 황족의 신분을 가진 문성 공주를 그에게 화친혼으로 보내야 했다. 그녀는 티베트에 오면서 고국에서 불상을 가져왔는데 그 불상을 모셔 놓은 곳이 포탈라궁과 함께 티베트인이 가장 숭앙하는 성지 중 하나인 조캉 사원이다. 포탈라궁이 처음 세워진 것이 637년이니 지금으로부터 무려 1,400여 년 전이다. 17세기가 되어 오랜 세월 속에 퇴락한 궁을 백

궁이 홍궁을 감싸는 모습으로 다시 건설한 사람이 제5대 달라이 라마다. 하지만 방이 1,000여 개나 된다는 웅장한 포탈라궁은 현재 그 주인을 잃었다. 제14대 달라이 라마인 텐진 갸초(1935~ )가 1959년에 중국을 탈출하여 인도의 네루(1889~1964) 수상 승인 하에 히말라야산맥의 캉그라 계곡에 위치한 다람살라 도시에 티베트 망명 정부를 세웠기 때문이다. 티베트 사람들은 이곳을 '작은 라싸'라고 부른다.

## 달라이 라마를 소수 민족 자치구의 '주석'으로 전락시킨 중국의 무력 침공

그렇다면 제14대 달라이 라마는 왜 티베트를 버리고 조그만 도시에 망명 정부를 세웠을까?

티베트가 중화인민공화국의 무력 침공으로 합병을 당했을 뿐 아니라 자신의 신변에도 심각한 위험을 느꼈기 때문이다. 제2차 세계 대전이 끝나고 중국에서는 장제스(1887~1975)가 이끄는 국민당과 마오쩌둥(1893~1976)이 이끄는 공산당 간의 국공 내전이 전개되었다. 1949년에 마오쩌둥은 국공 내전에서 승리한 후 중화인민공화국(이후 중국)을 수립했다. 그리고 다음 해인 1950년 1월부터 티베트 합병을 준비하기 시작한다. 티베트의 면적은 중국 영토의 4분의 1에 달한다. 그렇다 보니 티베트가 독립국을 유지하면 중국의 위상은 줄어들 수밖에 없다. 티베트는 중국의 목줄을 쥐고 있는 곳이기도 하다. 그 이유는 무엇일까? 티베트고원은 우리나라 크기의 약 27배나 되고 평균 높이는 약 4,500m에 달한다. 이 높디높은 티베트고원에서 아시아 대륙의 가장 중요한 3대 강이 발원하고 있다. 중국의 황허강과 양쯔강, 그리고 동남아시아의 젖줄인 메콩강이다. 티베트고원은 중국, 인도, 네팔, 부탄, 파키스탄 등 모두 7개국의 영토와 연결되어 있기 때문에 만약 중국의 경쟁국이 티베트 고원을 차지하여 물줄기를 막으면 중국은 큰 타격을 입게 된다. 농사를 지을 수도 없고 공업용수가 부족하여 공장이 멈출 뿐아니라, 무엇보다도 14억 인구의 식수조차 구할 수 없는 위기 상황에 놓일 수도 있다. 그뿐이 아니다. 만약 우주 개발 국가이며 핵무기를 소유한 인도 등의 국가가 티베트고원을 차지하여 미사일 기지를 세운다면, 국가의 안보가 매우 위태롭게 된다.

1950년, 중국은 전 세계의 이목이 한반도에서 일어난 6 · 25 전쟁에 쏠려 있던 그해 10월에 대규모의 인민해방군을 보내 티베트의 관문인 창두(昌都)를 무력으로 점령한다. 티베트 병력은 8,000여 명 뿐이었기 때문에 막강한 화공과 많은 병력을 가진 인민해방군을 도저히 막을 수 없었다. 제13대 달라이 라마가 환생한 것으로 확인되어 제14대 달라이 라마에 올랐던 쿤둔은 당시 15살에 불과했다. 어린 나이인 달라이 라마가 18세가 될 때까지 판첸 라마 섭정이 그 역할을 맡고 있었는데, 섭정은 중국의 침공을 도저히 막을 수 없자 1950년에 티베트 침공과 관련한 호소문을 유엔으로 보냈다. 그러나 당시 유엔은 한반도에 유엔군을 파견 중이었고, 티베트는 유엔 회원국이 아니라는 이유로 그 어떤 지지나 도움도 받지 못했다. 중국의 창두 침공으로 티베트 병력의 70%에 해당하는 5,700여 명이 죽음을 맞이했다. 티베트 정부는 더 이상 버틸 수가 없었다. 결국 1951년에 중국이 대외적으로 '시짱(西藏)'(중국에서 티베트를 일컫는 말)의 평화적인 해방'으로 선전하고 있는, 티베트에 대한 합병 조약이 성립되었다. '평화 해방 방법에 관한 협의 조약'은 17개조로 되어 있다. 티베트 정부는 중국이 제안한 내용에 달라이 라마의 안전을 보장해 달라는 내용을 추가하여 합병 조약에 서명했다. 이렇게 티베트인들이 살아 있는 신으로 받들었던 쿤둔은 중국에 속한 시짱 자치구의 초라한 주석이 되고 말았다. 티베트군은 인민해방군으로 대체되었고 티베트 외교의 전권은 중국 정부가 갖게 되었다.

## 납치 위기에서 탈출한 달라이 라마의 망명 정부 수립

만약 중국이 티베트와 맺은 협약을 잘 지켰다면 티베트인들이 숭앙하는 쿤둔이 목숨을 걸고 티베트를 탈출하여 망명하는 일은 없었을 것이다. 해가 거듭될수록 중국의 티베트 지배에 대한 티베트인들의 불만은 커졌다. 1956년에 마침내 무장 항쟁이 일어나자, 이들을 진압하기 위해 인민해방군이 더 많이 투입되었다. 인민해방군은 마을과 사원을 공격했고 사령관은 무장 반란이 계속된다면 달라이 라마가 머무르고 있는 포탈라궁을 폭격하겠다는 야만적인 통고를 했다. 그래도 무장 항쟁이 멈추지 않자 인민해방군 사령부는 달라이 라마에게 그 어떤 수행원도 없이 혼자서 사령부에서 열리는 전통 무용극을 보러 오라고 요구했다. 3월 10일, 그 말을 전해 들은 티베트인들은 쿤둔의 납치를 예상하고 그를 보호하기 위해 모여들어 포탈라궁을 겹겹이 에워쌌다. 그중에는 수천여 명의 여성들도 있었다. 인민해방군은 시위대를 해산시키기 위해 두 발의 폭탄을 포탈라궁에 떨어트렸다. 하지만 이것이 오히려 달라이 라마의 망명을 촉진하게 되었다. 달라이 라마는 캄캄한 밤을 이용하여 궁을 빠져나와 티베트 군인의 모습으로 위장한 뒤 소 등에 올라타고 국경을 넘어 인도로 망명했다. 그리고 앞서 말한 대로 인도 동북부에 위치한 작은 도시 다람살라에 '작은 라싸'라고 불리는 티베트 망명 정부를 세웠다.

하지만 그 대가는 매우 컸다. 당시 티베트 여성들의 시위를 이끌었던 구르텡 쿤상은 총살을 당했고 라싸는 인민해방군이 동원한 탱크와 기관총의 무차별 공격을 받아 거리에 피로 뒤덮인 시신들이 넘쳐났다. 이 해에 중국은 무려 8만 7,000여 명에 달하는 티베트인들을 대량 학살했다. 곳곳에서 낭랑한 승려의 독경 소리가 울려 퍼지던 티베트 불교 사원 6,000여 곳이 파괴되어 폐허가 되었다. 당시 중국 공안에 체포되어 고문을 받고 33년 동안 옥살이를 하다가 탈출한 승려 팔덴 갸초의 증언을 통해 중국이 얼마나 무자비하게 인권을 탄압했는지를 잘 알 수 있다. 강제로 주입식 재교육을 받는 것은 물론, 못이 박힌 몽둥이로 심한 매질과 구타를 당했고 전기 고문을 겪어 혀와 이가 심하게 손상된 후 강제 노동 수용소로 보내졌다고 한다. 그는 그곳에서 매타작을 당하며 철제 쟁기를 끄는 강제 노동을 해야 했는데, 무엇보다 참기 어려운 것은 중노동에 시달리다가 굶어 죽는 동료들을 목격하는 것이었다. 1960년대에 대약진 운동이 전개되면서 중국 당국은 티베트 농민들에게 그동안 경작해 왔던 보리 대신 옥수수를 재배하도록 강요했다. 결과는 어땠을까? 수확이 대실패하면서 수천여 명의 티베트인들이 굶어 죽었다. 그뿐이 아니었다. 중국은 1966~76년까지 마오쩌둥의 우상화를 위해 어린 학생들을 홍위병으로 동원하는 문화 대혁명을 일으켰는데, 이 기간 동안 겨우 남아 있던 티베트 사원 3,700여 개 중 13개만 남기고 모두 파괴해 버렸다. 포탈라궁도 폭파당할 위기였는데 저우언라이(1898~1976) 총리의 만류로 겨우 위기를 넘겼다고 전해진다. 이러한 내용만 봐도 티베트인들이 얼마나 가슴에 피멍이 들었을지 잘 알 수 있을 것이다.

2008년에 쌓이고 쌓인 그 피멍이 폭포수처럼 터진 사건이 일어났다. 2008년은 중국의 수도 베이징에서 올림픽이 처음 개최된 해이다. 세계의 이목이 베이징으로 향하자 티베트 승려 600여 명은 종교의 자유를 외치며 3월 10일에 거리에서 종교의 자유를 요구하는 시위를 벌였다. 이날은 1959년 3월 10일에 포탈라궁을 에워싸며 시작되었던 봉기를 기념하는 항쟁 기념일이다. 역시나 중국 당국의 무자비한 탄압 앞에 승려들이 바람 앞의 낙엽처럼 쓰러져 갔다. 중국 당국은 승려들의 저항을 막기 위하여 사찰에 대한 전기, 수도, 음식물, 최소한의 치료 도구 등을 철저히 차단했다. 티베트 망명 정부는 이 시위에서 최소 400여 명이 죽음에 이르렀고 수천 명의 승려가 체포되었다는 소식을 세계에 전했다. 국제 인권 단체를 대표하는 비정부기구인 국제 엠네스티는 체포된 사람들 중 1,000여 명이 생사를 알 수 없이 '실종'되었다고 발표했다. 달라이 라마는 유럽의 인권 변호사와 함께 이러한 중국 정부의 탄압을 세계에 고발하며 '문화적 대량 학살(Cultural genocide)'이라는 용어를 사용했다. 이 때문에 2008 베이징 하계 올림픽에 대한 보이콧 움직임이 있었지만 올림픽은 예정대로 치러졌다.

## 분신, 또 분신으로 이어진 티베트인들의 중국에 대한 피맺힌 저항

중국 정부가 시위하는 사람들의 씨를 말릴 기세로 보복적인 탄압을 계속하자, 2009년 2월부터 자신의 몸에 기름을 붓고 분신하는 티베트인들이 줄지어 나타나기 시작했다. 나 혼자 하는 시위이니 다른 티베트인들에게 책임을 묻지 말라는 의미였다. 승려를 비롯해 여러 분야에서 활동하던 티베트인들이 자신의 몸에 불을 질러 저항하는 극렬한 분신 행렬은 2022년까지 이어졌다. 분신한 사람들은 현재까지 159명에 이른다. 베이징 올림픽이 끝나면서 세계의 관심이 티베트에서 멀어졌는데도 그들은 왜 분신을 계속하는 것일까? 중국 당국이 티베트의 저항을 막기 위해 아예 새싹을 자르는 방법을 생각해 냈기 때문이다. 티베트를 완전히 중국화하여 티베트의 저항 정신을 말살하려는 계획을 세운 것이다. 우선 티베트를 현대화시키기 위해 대대적인 티베트 개발에 나섰다. 티베트-칭하이 간 철도를 완공했고 티베트 최초의 고속도로 공사가 시작되었다. 2024년에는 19세기에 세워진 티베트 전통 사원인 아촉곤 데첸 죄코링 사원을 초현대식 수력댐 건설을 위해 아무런 보존 대책도 없이 강제로 이주에 착수했다. 이 과정에서 댐 건설에 반대하는 1,000여 명의 스님과 티베트인이 체포되거나 구금되었다. 또 학교와 상점을 세우고 한족들의 이민을 적극 장려한 결과로, 오늘날 라싸 거주 인구 85만여 명 중 티베트인이 60만여 명인데 비해 300~400명이던 한족은 무려 23만여 명까지 늘어났다.

여기서 주목해야 할 것은 1985년부터 운영되고 있는 어린이들에 대한 강제 동화 정책이다. 중국은 티베트 어린이들을 티베트 역사와 전통, 종교와 가족들의 문화적 영향에서 단절시키기 위해 강제로 티베트 자치구에서 멀리 떨어진 중국 전역에 위치한 티베트 전용 기숙학교에

보냈다. 이 기숙학교들은 외출하려면 교사가 동행해야만 한다. 그리고 마침내는 2019년부터 티베트 자치구 학교 수업의 '티베트어' 교과 하나를 제외한 모든 교과에서 중국어로 가르치도록 했다. 유엔 인권위원회는 2023년 2월에 중국의 강제 동화 정책을 심각하게 우려하는 인권 보고서를 발표했다.

티베트인들은 티베트어와 티베트 전통 문화, 그리고 그들이 목숨보다 더 소중히 아끼는 살아 있는 부처 쿤둔과 티베트 불교를 지키기 위한 항거로 분신을 택한 것이다. 불교에서는 이것을 '소신공양(燒身供養)'이라고 한다. 분신에 나서는 티베트인들은 소신공양이야말로 자신의 의지로 스스로를 불태우면서 비폭력적인 방법으로 강력하게 저항 의지를 밝힐 수 있는 최선의 방법이라고 생각한다. 티베트의 작가이며 유명한 블로거인 체링 우에세르(1966~ )는 분신한 사람들이 남긴 유서와 구호 등을 분석하여 저서 〈불타는 티베트(Tibet on fire)〉(2016)에서 그들이 연달아 분신하는 이유를 세상에 밝혀 큰 반향을 일으켰다. 그녀의 분석에 의하면 티베트인의 분신은 중국 정부에 대한 항의를 행동으로 보여 주는 것이며 티베트인의 정신적 단결과 의지를 촉구하는 것이다.

티베트인들은 분신을 하면서도 쿤둔을 위해 기도했다. 쿤둔의 심정은 이루 말할 수 없이 저리고 아팠다. 쿤둔은 그동안 '작은 라싸'를 이끌면서 무장 항쟁 조직에 무기를 내려놓으라는 해산 명령을 내려 비폭

» 제14대 달라이 라마 텐진갸초(2012년의 모습)(출처: 위키피디아) «

력적인 독립 운동으로 나아가게 했고, 세 차례나 유엔 총회에서 티베트의 인권과 자치권을 보장하고 존중하라는 대 중국 결의안을 이끌어 내어 1989년에 노벨 평화상을 수상했다. 그런데도 중국 정부의 티베트에 대한 탄압이 계속되어 결국 티베트인들의 분신이 이어졌으니 그가 외쳐 왔던 비폭력에 의한 평화 중도 노선은 빛을 잃었다. 많이 지친

그는 2011년 3월에 고령을 이유로 '작은 라싸'의 내각 수반에서 스스로 물러났다. 후임은 티베트 최초의 하버드대 법학 박사인 롭상 상게(Lobsang Sangay, 1968~)가 맡았다. 현재는 제2대 수반으로 펜파 체링(Penpa Tsering, 1967~)이 식용(Sikyong, 티베트 망명 정부 공식 최고 지도자)을 맡고 있다. 하지만 제14대 달라이 라마는 여전히 티베트인들에게 살아 있는 부처, 쿤둔이며 티베트 독립의 희망이자 등불이다. 달라이 라마도 이 사실을 잘 알고 있기 때문에 그의 홈페이지(https://www.dalailama.com)를 통해 고령의 나이에도 강건하고 온화한 자태를 유지하며 티베트어로 하는 법어를 전 세계에 흩어져 살고 있는 티베트인들에게 전하고 있다. 그리고 그에게서 힘을 얻은 티베트인들의 '자유 티베트'를 위한 투쟁은 지금 이 시간에도 꺼지지 않는 성화처럼 불타오르며 계속되고 있다.

## 티베트 여성 독립 운동의 불꽃, '여성 봉기의 날'

1959년 3월 12일, 수천 명의 여성이 라싸의 포탈라궁 앞에 비폭력 시위를 하기 위해 모였다. 이 시위의 지도자는 티베트 쿤델링 귀족 가문출신이며 여섯 아이의 어머니인 구르탱 쿤상이었다. 여성들은 결의문을 채택하여 라싸의 인도, 네팔, 부탄 영사관에 제출했다. 그 내용은 중국인은 중국으로 돌아가야 하며, 티베트는 티베트인의 정당한 소유라는 것이었다. 또 중국은 티베트 내부에 어떤 권리도 없으며, 티베트 여성은 중국이 티베트에 대한 간섭을 멈출 때까지 투쟁을 계속할 것이라는 내용이 담겨 있었다. 티베트 여성들의 격렬하지만 비폭력적인 투쟁에 대해 중국은 무자비한 탄압으로 대응했다. 주동한 여성들을 체포하여 가혹한 고문을 가한 것이다. 그럼에도 구르탱 쿤상을 포함한 여성 지도자들은 의연하고 당당하게 중국 당국에 저항하다가 공개 총살형을 당했다. 그녀들의 용기 있는 행동은 티베트 여성 독립 운동의 꺼지지 않는 불꽃이 되었다. 10년 후인 1969년 중국의 문화혁명 시기에도 그녀들의 뒤를 잇는 용기 있는 여성들이 시위에 나섰다. 60여 명이 체포되어 역시 모진 고문 끝에 처형되었지만 티베트 여성의 독립 정신을 꺾을 수는 없었다. 티베트 망명 정부는 3월 12일을 '여성 봉기의 날'로 정하여 그녀들의 숭고한 희생 정신을 높이 기리고 있다.

# 12

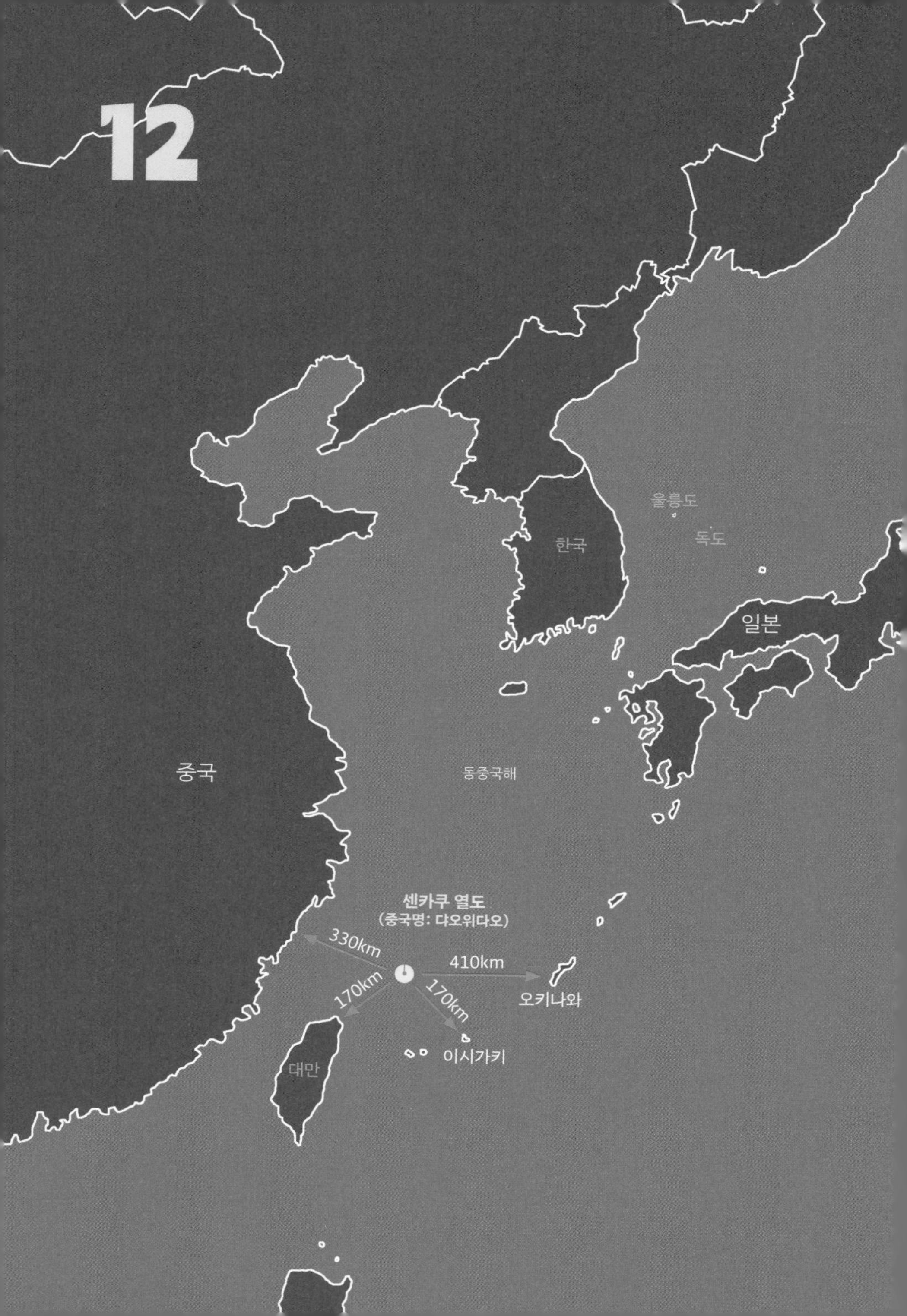
울릉도
독도
한국
일본
중국
동중국해
센카쿠 열도
(중국명: 댜오위다오)
330km
410km
170km
170km
오키나와
이시가키
대만

# 바다를 둘러싼 분쟁, 센카쿠 열도를 사이에 둔 중국과 일본

센카쿠 열도 관련 연표

1895 청일전쟁 후 일본의 영토로 귀속
1951 미일 강화조약으로 미국으로 이양
1969 유엔, 석유매장 가능성 발표
1972 오키나와 반환 협정때 다시 일본 반환
1992 중국 영해법 제정, 일본에 공식항의

그때 우리는

1894 동학 농민 운동
1951 1·4 후퇴
1972 10월 유신
1992 중화인민공화국과 수교, 대만과 단교

*2023년 5월 27일, 일본이 자국 영토라고 주장하는 센카쿠 열도에서*
*일본 육상 자위대가 중국의 침공 상황을 가정해 대규모 실탄 사격을*
*벌였다. 사격에 동원된 자위대 인원은 3,400여 명에 달했고*
*70여 대의 전차 및 장갑차와 공격용 헬기, 드론 등이 합세하여*
*57톤의 포탄을 퍼부었다. 주목할 것은 일본 방위군의 단독 작전이 아니라 미군과의*
*합동 작전이었다는 것이다. 중국과의 영토 분쟁에서 현저한 군사 격차를*
*실감하고 있는 일본은 우방인 미국은 물론 한국군과의 협력을 통해 언제*
*일어날지 모르는 중국의 무력 공격을 저지할 묘책 마련에 부심하고 있다.*

## 청일 전쟁 중에 센카쿠 열도를 자국 영토로 편입한 일본

우리는 종종 일본을 '일본 열도'라고 일컫기도 한다. 열도란 길게 줄지어 서 있는 여러 개의 섬을 말한다. 일본과 중국 및 중화민국 사이에 영토 분쟁 중인 센카쿠 열도는 일본 열도의 남서쪽, 동중국해 남서부, 대만의 동북쪽에 위치한 다섯 개의 무인도와 세 개의 암초로 구성되어 있다. 이곳 섬들은 18세기 말에 근처를 지나던 영국 해군 장교인 제임스 콜넷이 처음 발견했다. 영국 해군은 이곳을 '뾰족한 섬들'이라는 의미로 피너클 제도(Pinnacle Islands)라고 이름 붙였다. 1900년에 오키나와현 사범학교 박물관 농업 교사인 쿠로이와 히사시는 섬들을 조사하던 중, 모양새가 뾰족하게 구성되어 있는 것을 보고 일본어로 뾰족한 각을 나타내는 단어인 '센카쿠(첨각, 尖閣)'를 가져와 이곳을 센카쿠 열도로 불렀다. 반면 중국에서는 이 섬들을 조어도(釣魚島, 댜오위다오) 및 부속 도서라고 부르고, 대만에서는 이곳을 댜오위타이(釣魚臺) 군도라고 부르고 있다. 각기 다른 지명을 통해 중국과 일본, 대만이 이곳을 두고 서로 자신들의 영토라는 주장을 펼치고 있는 것이다.

실제로 삼국은 이곳을 자국 영토의 행정 구역에 넣고 있다. 일본은 오키나와현 이시가키시 행정 구역에, 중국은 타이완 섬에, 대만은 타이완성 이란현의 행정 구역에 포함시켰다. 흥미로운 것은 1900년 이

전 지도를 보면 이 섬들이 류큐 왕국의 영토에서 빠져 있다는 것이다. 즉 그 말은 류큐 왕국을 침략하여 자국 영토로 넣은 일본과 이 열도가 관련이 없을 가능성이 있다는 뜻이다. 류큐 왕국은 오늘날의 오키나와를 말한다.

센카쿠 열도는 다섯 개 섬을 모두 합쳐도 전체 면적이 고작 6.32km 밖에 되지 않는 무인도다. 일본은 이 섬을 독도와 똑같은 방식으로 자국의 영토로 편입했다. 독도는 무주지(無主地, 주인 없는 땅)라는 이유를 대며 러일전쟁(1904~1905) 중에 자국 영토로 편입했고, 센카쿠 열도 역시 청일전쟁(1894~1895) 중에 같은 이유로 차지했다(1895).

## 미국으로부터 반환받은 센카쿠 열도를 실효 지배하고 있는 일본

센카쿠 열도에 사람들이 거주했던 적도 있다. 1896년에 일본의 기업가인 고가 다츠시로(1856~1918)가 국유지로 되어 있는 섬들에 대해 30년간의 무상 대여와 1년간의 유상 대여를 받은 것이다. 그는 섬에서 바닷새의 깃털을 채취하는 일 외에도 가다랑어 생선 가공 공장을 설립하여 많을 때는 200명의 노동자가 생선 가공 작업을 하기도 했다. 그러나 이 공장은 1940년경 문을 닫았고 이후 섬은 사람이 살지 않는 무인도로 버려졌다.

1945년, 일본이 제2차 세계 대전에서 무조건 항복을 하면서 패망하자 센카쿠 열도의 운명도 길을 달리하게 되었다. 항복과 함께 일본 전역은 연합국 최고사령부를 대표하는 미국의 통치를 받게 되었다. 미국은 1952년에 샌프란시스코 강화 조약이 발효되어 일본의 주권이 회복되자 다시 미·일 안전 보장 조약을 체결했고, 오키나와에는 미군이 계속 주둔하며 통치했다. 센카쿠 열도는 오키나와에 소속되어 있기 때문에 역시 미군 관할에 들어가게 되었다. 그로부터 20여 년이 지난 1971년에 미국은 일본과 오키나와 반환 조약을 체결했다. 그리고 약속대로 다음 해인 1972년에 오키나와를 일본에 반환했는데 이때 센카쿠 열도도 일본에 반환되었다. 일본은 1972년 이후 지금까지 센카쿠 열도를 실효 지배하고 있다. 실효 지배란 영유권을 놓고 분쟁 지역을 한 국가가 차지하여 실제로 지배하는 것을 말한다.

그렇다면 일본이 실효 지배해 온 센카쿠 열도에 대해 별 불만을 표시하지 않았던 중국이 왜 지금은 민감하게 반응하며 줄기차게 센카쿠 열도가 중국 영토라고 주장하는 것일까? 그것은 1969년 유엔의 발표 때문이다. 1969년 5월에 유엔 산하 기구인 아시아극동경제위원회(ECAFE)는 센카쿠 열도가 위치한 동중국해 일대에 막대한 양의 석유가 매장되어 있을 가능성을 세계에 알렸다. 그러자 정신이 번쩍 든 중국과 중화민국이 이때부터 매우 적극적으로 센카쿠 열도의 소유권을 강력하게 주장하기 시작했다.

## 센카쿠 열도를 자국 영토로 주장하는 중국이 내세운 근거

먼저 중국이 자신 있게 댜오위다오 군도를 자국 영토라고 주장하는 근거를 알아보자. 중국은 명나라 홍무제 5년인 1372년에 처음 발견된 이 섬들의 이름을 '댜오위다오'로 정했다고 주장한다. 그에 관한 사료로 1403년에 출간된 〈순풍상송(順風相送)〉이라는 책에 류큐로 가는 항로에서 볼 수 있는 가장 큰 섬인 '조어서(釣魚嶼)'의 지명이 기록되어 있다고 한다. 이 책은 명나라 영락제 원년에 발간되었는데 영락제 때 일곱 번이나 해외 원정을 떠났던 정화의 선원이 기록한 것으로 추정된다. 책에는 정크선(정화 원정 당시 사용한 함선)이 항해를 할 때 알아야 할 천문과 기후, 나침반의 활용 등에 대한 정보와 함께 항해 과정에서 새롭게 발견된 지역이 기록되어 있다. 이것이 맞다면 '발견하는 나라가 그 지역의 영유권을 확보한다'는 국제법 원칙에 따라 댜오위다오 군도는 일본이 19세기에 발견하기 수백 년 전에 중국인이 처음 발견한 셈이니 중국 영토가 된다. 뿐만 아니라 중국은 1372년에서 1866년까지 류큐 왕국에 사신을 24번이나 보냈다고도 주장한다. 이 사신은 류큐를 중국에 굴복시켜 중국 황제에게 조공을 바치게 하기 위해 보낸 것이다. 이러한 기록은 〈사유구록(使琉球錄)〉에 상세히 담겨 있는데, 이에 따르면 댜오위다오 군도는 류큐로 가는 항로의 기준이 되었던 곳이다. 그뿐만 아니라 이 섬들은 왜구를 막기 위한 푸젠성의 최전방 방위선이기도 했다. 이외에도 중국에 남아 있는 류큐 왕국과 관련된 여러 서적, 예를 들면 〈중산세감(中山世鑑)〉, 〈주해도편(籌海圖編)〉, 〈류구국지략(琉球國志略)〉 등을 통해 댜오위다오 군도가 분명한 중국 영토임을 주장하고 있다. 또 1873년에 발간된 〈류구제도전도(琉球諸島全圖)〉를 비롯하여 1895년 이전 그 어느 지도에도 댜오위다오 군도가 류큐 왕국에 포함된 것으로 그려진 적이 없다는 주장을 펼쳤다. 심지어 일본이 1875년에 제작한 〈대일본도(大日本圖)〉나 1877년에 제작한 〈오키나와지〉에도 댜오위다오를 오키나와 영토로 표시하지 않았다고 말한다.

중국은 청일전쟁에 패배하여 일본과 맺은 시모노세키 조약과 중국을 배제하고 맺어진 샌프란시스코 강화 조약의 적법성에 문제가 있다는 주장도 하고 있다. 이를 구체적으로 알아보자.

1895년에 맺어진 시모노세키 조약 제2조의 타이완과 그 부속 도서를 일본에 할양한다는 조항을 통해 일본이 타이완과 댜오위다오 군도를 차지했지만, 1943년 11월에 발표된 미영중 3국 정상이 협의한 카이로 선언에는 "1914년 제1차 세계 대전 이래 일본이 태평양에서 강탈 또는 점령한 일체의 도서, 중국으로부터 절취한 동북 4성, 타이완, 펑후 군도를 중국에 반환해야 한다"는 규정이 있다는 것이다. 이 카이로 선언은 우리에게도 일본의 식민지로 있던 한반도의 독립을 처음으로 약속한 선언으로 잘 알려져 있다. 중국은 이 주장에서 멈추지 않는다.

제2차 세계 대전이 끝나기 직전인 1945년 7월에 발표된 미영중 정상이 발표한 포츠담 선언은 "카이로 선언을 이행하고 일본의 주권이 혼슈, 홋카이도, 큐슈, 시코쿠와 연합국이 정한 소도 이내로 한다"고 규정하고 있기 때문에 마땅히 댜오위다오 군도는 중국에 반환해야 한다고 주장한다.

중국은 샌프란시스코 강화 조약도 다시 들여다보았다. 샌프란시스코 강화 조약은 당사국인 중국은 물론 중화민국도 참여하지 못한 가운데 맺어진 조약이기에 결정 내용에 문제가 있다는 것이다. 강화 조약에서 북위 29도 이남의 난세이 제도를 연합국의 신탁통치 지역에 두었고 미국이 대표 권한을 갖게 되었으나 여기에 댜오위다오 군도는 포함되지 않았다는 주장이다. 그런데도 미국은 1952년과 1953년에 발표한 류큐에 관한 포고령에서 추가로 댜오위다오 군도를 포함시킨 후 1972년에 일본으로 반환했으니, 이것은 미일 양국이 중국의 고유 영토를 마음대로 주고받은 것으로 국제법상 명백히 불법적인 행위라는 주장을 펼치고 있다. 결정적으로 1863년에 제작한 〈황조일통여지전도(皇朝一統輿地全圖)〉에 댜오위다오 군도가 중국 푸젠성에 부속한 섬으로 표시되어 있다고도 말한다.

한편 중화민국은 댜오위타이(중화민국에서 부르는 이름)가 자국의 영토임을 분명히 하고 이 섬의 영유권을 중국과 공동으로 소유할 수 없다고 주장한다. 중화민국은 섬의 자원에 대한 평화적인 개발에 초점을 맞추며 이 섬들은 고대부터 대만 어부들이 어업을 했던 곳이라는 주장을 일관되게 펼치고 있다.

## 센카쿠 열도에 대한 일본의 주장과 실효적 지배

이에 대해 일본은 중국의 주장을 조목조목 반박하고 있다. 가장 강력하게 앞세우는 주장은 시모노세키 조약에 의해 중국으로부터 얻어낸 섬이 아니라, 일본인 고가 다츠시로가 1885년에 오키나와 현청에 센카쿠 조차원(빌려 사용하겠다는 청원서)을 제출하고 난 뒤 주인이 없는 무주지로 확인되어 1895년에 센카쿠 열도가 일본 영토로 편입되었다는 것이다. 이후 그는 30년간 섬을 사업에 사용할 수 있게 빌린 후 1930년에는 아예 일본 정부로부터 이 섬을 사들였기 때문에 엄연히 일본인이 소유한 일본인의 재산이라는 주장을 펼친다. 또 일본 영토로 편입할 당시 수차례에 걸쳐 조사를 했지만 청나라가 이곳을 통치한 흔적이 전혀 없어 1895년 1월 14일에 이곳이 일본 영토임을 새긴 말뚝 표지를 세웠다는 것이다.

두 나라의 센카쿠 열도에 대한 주장에는 한 치의 양보도 없다. 당연한 일이다. 이 지역에 막대한 석유와 천연가스가 매장되어 있다고 하니 두 나라 모두 다른 나라 영토가 되는 것을 보고만 있을 수는 없다.

이는 일본이 독도를 자국 영토인 다케시마라고 생떼를 쓰고 있는 것과 비슷하다. 일본이 독도를 노리는 이유에는 여러 가지가 있지만, 가장 큰 이유는 역시 해양 대체 에너지 때문이다. 독도 바다 아래에는 한 나라가 50년 이상 사용할 수 있는 천연가스인 메탄하이드레이트(methane hydrate)가 풍부하게 매장되어 있다.

다시 센카쿠 열도 이야기로 돌아가 보자. 중국과 일본은 냉전 시대가 끝나면서 1978년에 중일평화우호조약을 맺었다. 그전까지 중국은 일본에 의해 청일전쟁, 만주사변, 중일전쟁 등 3차례나 큰 전란 피해를 입었다. 그랬던 과거사를 묻고 새롭게 평화우호조약을 맺었기 때문에 센카쿠 열도에 대한 문제를 표면에 꺼낼 수가 없었다. 하지만 센카쿠 열도를 놓고 벌이는 두 나라의 신경전은 계속되고 있었다.

가장 대표적인 사례는 1970년에 있었던 중화민국 사람들의 상륙 행위이다. 신문 기자를 포함한 중화민국 사람들이 일본 해상 경비정의 감시를 따돌리고 댜오위타이(중화민국명)에 성공적으로 상륙한 것이다. 이들은 섬에서 중화민국 국기를 게양했고 배를 운전한 선장은 이 장면을 8mm 비디오카메라로 촬영까지 했다. 또 중화민국 유력 신문인 〈차이나 타임스〉의 기자는 섬 절벽에 "장 주석(장제스 총리를 말함)만세"를 뜻하는 다섯 글자를 새겼다. 1978년에는 중국 어선 약 140척이 센카쿠 열도 부근에 집결했다가 그중 10척이 센카쿠 열도 영해를 침범하는 일이 발생했다.

이에 질세라 같은 해에 일본 우익 정치 단체인 '일본청년사'는 섬에 상륙하여 등대를 설치하고 염소 두 마리를 방목했다. 소위 알박기 방법으로 자국의 영토임을 분명히 한 것이다. 이에 더하여 다음 해인 1979년에 50여 명의 공무원과 연구자, 개발업자 등 일본 정부의 공식 사절단을 4주 동안 섬에 머물게 하면서 생태 및 주거 환경 조사를 펼쳤다. 1988년에 일본 우익 단체는 등대를 재건했고 2005년 이후 일본 해상보안청이 이 등대를 유지 · 관리하고 있다.

## 신냉전 시대에 외교전으로 발전한 센카쿠 열도 분쟁

1990년대가 되자 센카쿠 열도의 영유권 분쟁이 본격화되었다. 중국이 1992년에 영해법을 제정하면서 타이완은 물론 댜오위다오 군도를 포함한 부속 도서 모두를 중국의 영토로 명시했기 때문이다. 하지만 다행스럽게도 중국과 일본 양국은 1997년에 중일 어업 협정을 체결하면서 직접적인 충돌을 피하는 방식을 택했다. 즉, 각 나라의 배타적 경제 수역이 겹치는 지역은 두 나라가 공동으로 관리하는 잠정 조치 수역으로 설정한 것이다.

그러나 2010년, 결국 센카쿠 열도 문제가 표면으로 떠올랐다. 센카쿠 열도를 순회하던 일본의 해상보안청 순시선과 센카쿠 열도로 들어온 중국 어선이 충돌한 사건 때문이다. 중국을 자극하고 싶지 않았던 일본 정부는 중국 어선 선장을 석방시켜 주었지만, 이것을 계기로 일본의 노다 정권은 2년 후인 2012년, 센카쿠 열도 세 개 섬의 소유권을 고가 다츠시로 집안으로부터 사들여 국유화했다. 그러자 중국은 '중국 영토 주권에 대한 엄중한 침해'라며 펄펄 뛰었다. 그리고 그동안 미루어 놓았던 중국의 영해 기점 기준을 댜오위다오 군도로 설정했다. 그뿐이 아니다. 2012년까지 중국 배가 센카쿠 열도 해역에 들어오는 숫자는 10회 미만이었는데 2012년을 기준으로 수십 수백 번으로 늘어났고, 2019년부터 접근하는 선박 수가 무려 1,000척 이상이 되었다. 이에 더하여 센카쿠 열도 상공에 나타나는 중국 항공기의 숫자는 최근에 1,000여 회에 가까울 정도로 늘어났고, 그때마다 일본 항공자위대 전투기의 출격 횟수도 그만큼 늘어났다. 2019년에는 센카쿠 열도에 대한 경비 활동을 하던 일본 해상 보안청 소속 항공기에 대해 중국 해군 함정이 퇴각을 경고하기도 했고, 2020년에는 주변 수역에서 어업 활동을 하는 일본 민간 선박을 중국 해경선이 줄기차게 쫓아다니며 수역에서 나가게 했다.

그렇다면 이러한 중국의 태도에 대한 일본의 꼼수는 무엇일까? 그렇다. 미국과 긴밀하게 손을 잡은 것이다. 실제로 2014년에 오바마 대통령은 센카쿠 열도가 미일 안보 조약 5조의 적용 대상임을 공식적으로 언급했다. 이후 바이든 행정부도 2021년에 개최된 미일 정상회담에서 미국과 일본 두 나라가 남중국해와 동중국해에 대한 일방적인 현상 변경을 반대한다는 입장을 양국이 서로 확인했다고 발표했다. 남중국해란 중국과 동남아시아 국가들이 접해 있는 바다를 말하는데, 중국은 남중국해에 대해서도 소유권을 주장하고 있다.

2010년대 이후를 '신냉전 시대'라고 한다. 미국과 일본, 유럽 연합이 손을 잡고 러시아, 중국과 대립하고 있기 때문이다. 이러한 신냉전 시대에 일본이 미국과 손을 잡고 센카쿠 열도를 지키려 한다면 중국은 어떤 외교적인 조치를 할 것인가? 당연히 러시아와 손을 잡을 것이다. 중국은 우크라이나와의 전쟁으로 유럽 수출길이 막힌 러시아의 석유와 천연가스 대부분을 구입해 주었다. 그리고 센카쿠 열도에 태풍을 피한다는 구실로 러시아 해군의 군함을 진입하도록 했다. 그 후에 러시아 군함을 감시하겠다며 중국 해군의 함정도 센카쿠 열도에 진입시켰으니 일본은 깜짝 놀랄 수밖에 없다.

이렇게 센카쿠 열도를 둘러싼 분쟁은 현재 진행형으로 계속되며 신냉전 시대에 큰 전쟁으로 발전할 수도 있다는 초긴장을 불러일으킨다. 실제 예를 들어보자. 2024년 4월에는 일본의 현역 국회의원 다섯 명이 2013년 이후 10여 년 만에 센카쿠 열도 환경조사단 선박에 합류하여 조사 활동을 전개했다. 이에 즉각 중국 해경선 두 척이 나타나 접근을 막았고, 일본 해상 보안청 순시선도 자국 선박을 보호를 위해 출동하여 양국 간에 숨막히는 긴장감이 맴돌았다. 중국 당국이 공식적인 외교 경로를 통해 일본 정부에 엄중한 항의를 하는 것으로 이 사태는 마무리가 되었지만, 이런 충돌과 갈등은 계속될 전망이다. 한국과 이웃한 두 나라가 무인도 섬들을 놓고 한 치의 양보도 없이 갈등을 벌이고 있는 것을 지켜보며 우리 역시 일본에게 독도를 빼앗기지 않도록 긴장을 늦추지 말아야 할 것이다.

## 중화권의 댜오위다오 소유권 시위를 격화시킨 SNS 생중계

2012년 8월이었다. 일본의 여당인 자민당 소속의 일부 의원들이 1941년에 일어난 태평양 전쟁에서 목숨을 잃은 희생자들을 추모한다며 센카쿠 열도를 방문하려 했다. 이 소식을 듣고 분노한 홍콩의 시민 단체 '댜오위다오 보호 행동 위원회'는 댜오위다오섬에 상륙할 계획을 세웠다. 홍콩에서 배를 띄워 일본 자민당 의원들보다 먼저 센카쿠 열도에 상륙을 시도한 것이다. 일본 해상 보안청이 물대포를 발사하며 그들의 접근을 막는 과정에서 배가 심하게 부서졌다. 그렇지만 14명의 참가자 중 7명이 마침내 섬에 상륙하는 데 성공한다. 그 7명 중에는 중국인·홍콩인·대만인이 모두 포함되어 있었다. 이들은 섬에 상륙하여 중국의 오성홍기와 중화민국의 청천백일만지홍기 국기를 흔들며 감격에 젖었다. 중국과 대만의 국가도 함께 불렀다. 이 과정은 SNS를 통해 실시간으로 중국과 대만 전역에 중계되었다. 중국인과 대만인들은 이 장면을 보며 "제3차 **국공 합작**으로 댜오위다오를 되찾았다"면서 기뻐했다. 그러나 국기를 꽂는 시도는 섬에 상륙해 있던 일본 해경과 경찰에 의해 저지되었고 그들은 체포되어 오키나와현 이시가키시로 압송되었다.

그러자 중국 주요 도시에서는 격렬한 반일 시위가 일어났다. 거리마다 수천 명의

» 2012년, 일본이 센카쿠 열도에 상륙한 중국인을 체포한 것에 반발한 중국의 반일 시위대가 일본 총영사관 앞에서 일장기를 불로 태우며 항의하고 있다(출처: 위키피디아). «

중국인들이 거리로 쏟아져 나와 "댜오위다오는 중국 영토"라고 외쳤다. 일부 과격한 시위대는 일본 식당과 상점으로 몰려가 집기를 부수고 약탈하는가 하면 일본제 차량을 파손시키는 등 과열 양상을 보였다. 이러한 시위는 장장 2주 동안 계속되다가 일본 당국이 시민 단체 활동가들을 풀어 주고 홍콩으로 돌려보내면서 겨우 잦아들었다.

• **국공 합작** 중국의 국민당과 공산당이 손을 잡고 이룩한 협력관계로, 제1차는 나라를 분열시킨 군벌을 타도했고 제2차는 중일 전쟁을 일으킨 일본에 맞서 싸웠다.

13
카자흐스탄
몽골
중국
파키스탄
네팔
방글라데시
인도
미얀마
라오스
태국
캄보디아
베트남
스리랑카
울릉도
독도
대한민국
일본
대만
인도네시아
중국
타이베이
타이완해협
신주
대만
지베이섬
왕안섬
치메이섬
자이
타이난
남중국해

# 독립을 가로막는 중국과 '하나의 중국'에 저항하는 대만

## 대만 관련 연표

1924 제1차 국공 합작(~1927)
1934 홍군 대장정(~1935)
1937 제2차 국공 합작(~1945)
1946 국공내전(~1949)
1949 중화인민공화국 수립
2000 대만, 민진당 천수이볜 정권 창출

## 그때 우리는

1927 민족 협동 전선 운동 결실, 신간회
1946 제1차 미소 공동 위원회
1950 6·25 전쟁(~1953)
2000 남북 정상 회담, 6·15 남북 공동 선언

*중국과 대만이 서비스 무역 협정을 맺었던 2013년,*
*중국과 대만으로 갈라진 지 65년 만에 처음으로 장관급 회담을 개최하면서*
*긴장의 연속이던 갈등 관계에 훈풍이 감돌았다.*
*그러나 다음 해인 2014년 3월, 대만 대학생들은*
*대만 입법원(국회)을 불법적으로 점거한 후*
*장장 10일 동안 점거 농성을 벌였다. 만약 이 협정이 발효되면*
*대만의 경제가 중국에 예속될 것이며 대만 청년의 일자리는 줄어들*
*것이라고 주장하는 거센 반대 시위를 전개한 것이다.*
*이로부터 10년 후인 2024년, 중국에 반대하는 입장을 가진 민진당이*
*총통 선거에서 승리하여 대만 역사상 최초로 총통 3연승 정당의 자리에*
*올랐다. 이에 중국과 대만 사이에는 긴장이 감돌고 있다.*

## 국민당 vs 공산당에서 항일민족통일전선으로

중국 건국의 아버지는 쑨원(1866~1925)이다. 쑨원은 신해혁명을 일으켜 중화민국(대만)을 수립한 혁명가일 뿐 아니라 국민당을 세워 군벌 타도를 위해 노력한 국민적 영웅이다. 그러나 곧 큰 어려움이 닥쳤다. 강한 군대를 거느린 군벌들에 의해 중화민국이 지역별로 분열되었기 때문이다. 쑨원은 이 군벌들을 무너트리기 위해 공산당과 손을 잡았다. 이것을 제1차 국공 합작이라고 한다(1924~1927). 하지만 곧 큰 병에 걸려 눈을 감고 만다.

쑨원에 이어 국민당을 이끈 사람이 장제스이다. 그는 쑨원의 신임을 받으면서 군벌을 타도하기 위해서는 강한 군사력이 필요하다는 생각으로 황포 군관 학교를 세우고 교장이 되었다. 군벌을 타도하는 국민혁명을 일으킨 장제스는 국민 혁명 과정에서 공산당 세력이 매우 강해지자 이를 누르기 위해 서양 함대의 지원을 받아 상하이 공산당을 해산시키는 '상하이 쿠데타'를 일으켰다. 이 사건으로 제1차 국공 합작은 깨졌다. 장제스는 공산당을 제거한 후 그 기세를 몰아 베이징의 군벌을 내몰고 마침내 북벌에 성공했다. 북벌이란 강력한 북방의 군벌을 타도하는 것을 말한다.

장제스는 군벌을 타도하자 이번에는 공산당을 아예 뿌리 뽑을 생각으로, 국공 합작 기간 동안 생사를 같이한 공산당을 적으로 돌리고 북벌에 나섰던 군대를 공산당 토벌에 투입했다. 그 숫자는 무려 100만 명이나 되었다. 당시 공산당은 장시성 루이진에서 중국 소비에트 공화국을 수립하고 있었는데, 장제스는 50만 명이 넘는 병력으로 다섯 번이나 이곳을 포위 공격했다. 특히 다섯 번째 포위 공격 작전에서는 70만여 명의 대군으로 공격하여 초토화시켰다. 공산당은 마오쩌둥이 기획했던 유격술을 포기하고 정규전으로 국민당군과 대적하다가 대패하고, 국민당의 추격을 피해 견디기 어려운 머나먼 길을 행군하는 대장정에 올라 간신히 위험을 넘길 수 있었다.

그리고 1937년, 일본이 중국을 상대로 전면전을 일으킨다. 중일전쟁이 일어난 바로 그해 12월에 일본군은 30만여 명의 중국인을 대량 학살하는 난징 대학살도 저질렀다. 그런데 중국을 이끌어가는 장제스와 공산당을 이끄는 마오쩌둥은 1936년 12월까지도 서로 등을 돌리고 있었다. 일본을 막기 위해서는 서로 힘을 합치는 것이 무엇보다 절실했다. 이와 같은 상황을 보다 못한 국민당 북동군 총사령관 장쉐량은 공산당을 토벌하는 국민당군을 격려하고자 시안을 방문한 장제스를 납치하는 시안 사건(1936)을 일으켰다. 그의 요구는 공산당과 다시 힘을 합쳐 일본과 싸우라는 것이었다. 장제스는 먼저 공산당을 토벌하고 나서 일본과 싸운다는 방침을 갖고 있었지만 그에게서 풀려나려면 요구를 승낙할 수밖에 없었다. 그리하여 국민당은 다시 공산당을 정식으로 인정하면서 제2차 국공 합작(1937~1945)을 맺어 항일민족통일전선으로 일본군에 맞서 싸우게 되었다.

## 국공 내전을 승리로 이끈 홍군 대장정

1945년 8월, 일본은 미국이 히로시마와 나가사키에 원자폭탄을 투하하고 소련이 대일전에 뛰어들자 무조건 항복을 했다. 그동안 일치단결하여 항일 전선을 구축했던 제2차 국공 합작도 끝을 맺게 되었다. 국

» 일본 패망 후 마오쩌둥과 장제스는 회담을 가졌다(1946)(출처: 위키피디아). «

민당의 장제스와 공산당의 마오쩌둥은 1945년 8월에 충칭에서 화평 교섭회담을 연 후 그 결과를 10월 10일에 쌍십 협정으로 발표했다. '어떤 일이 있어도 내전을 피하고, 독립 · 자유 · 부강의 신중국을 건설한다'라는 내용이었다. 그러나 장제스는 공산당의 3배에 달하는 군사력을 자신하며 미국의 원조 하에 협정을 파기하고 공산당과의 전면전에 들어갔다. '국공 내전(1946~1949)'이 시작된 것이다. 미군의 어마어마한 지원에도 불구하고 결과는 국민당의 참패였다. 공산당이 국공 내전을 이겨낸 데는 '홍군 대장정'이 원동력이 되었다.

제2차 국공 합작이 일어나기 전, 국민당은 공산당을 괴멸시키기 위한 대추격전을 펼쳤다. 상대적으로 열세였던 공산당은 국민당의 추격을 피해 1934년 10월부터 1935년 10월까지 장장 1년 동안 11개 성(省)을 지나고 18개의 높은 산맥과 24개의 큰 강을 넘어 1만 2,000km를 강행군하는 대장정에 올랐다. 1년의 장정이 끝나고 그들이 산시성의 예안에 최종 집결했을 때 처음 함께 했던 홍군 8만 5,000명 중 90%가 목숨을 잃고 생존자는 10%에 지나지 않았다. 그런데 이 장정을 통해 어떤 어려움도 이겨낼 수 있다는 투지가 생겨나고 정신력이 강화되었다. 군사 기강도 잘 잡혀 이것이 국공 내전을 승리로 이끈 것이다. 이와 함께 마오쩌둥은 농촌을 중심으로 '인민민주통일전선'을 구축하고 농민이 원하는 토지 개혁을 실현시켜 국민의 열렬한 지지를 얻었다.

반면 국민당은 부패했고 노략질도 심하여 가는 곳마다 국민들이 등을 돌렸다. 그리고 마침내 공산당은 1949년 10월 1일, 베이징에서 위풍당당하게 중화인민공화국 수립을 선포한다. 1949년 12월 10일에 장제스는 초라한 모습으로 대륙 최후 거점인 청두에서 대만(타이완)으로 탈출하여 국민당 정부를 대만으로 이전했다. 이로써 본격적으로 중국을 대표하는 합법적 정부 지위를 둘러싼 갈등이 시작되었다.

중국은 본토를 차지한 후 대만을 무너트리기 위해 전심전력으로 공격을 퍼부었다. 가장 대표적인 전투가 중국 대륙과 대만 사이에 위치하여 전략적으로 매우 중요한 지역인 진먼섬을 공격한 고령두 전투이다(1954). 중국 공산당의 인민해방군 군대는 3일 동안 총공세를 펼쳤지만 국민당의 중화민국 군대에게 패퇴했다. 반면 1950년 3월부터 4월 사이에 있었던 하이난섬 전투와 1950년 5월부터 6월까지 진행된 홍콩에서 가까운 완산 군도 전투에서는 중화민국 군대가 패배했다. 이후 중화민국 군대가 상하이 근처의 저우산 군도와 다천섬에서 완전히 철수함으로써 중국과 중화민국 사이에 해안으로 국경이 만들어졌다. 그래서 중국과 중화민국 사이의 분쟁을 '양안 문제'라고도 일컫는다.

## 하나의 중국인가, 국가 대 국가인가?

중국은 '하나의 중국'을 위해 결코 대만을 포기할 수 없었다. 그러나 큰 걸림돌이 있었는데, 바로 늘 대만을 도와주는 미국이다. 당시는 미국을 중심으로 한 자본주의 진영과 소련을 중심으로 한 사회주의 진영이 경쟁과 대립을 하던 냉전 시대였다. 미국은 사회주의 국가인 중국을 경계하며 대만과 상호방위조약을 체결했다. 즉 중국이 대만을 공격하면 미국도 중국을 공격하겠다는 것이다. 중국은 '무력에 의한 조속한 대만의 해방'이라는 목표를 세우고 단숨에 대만을 차지하고 싶었지만, 사회주의 진영 내에서 소련과 갈등이 생긴 터라 미국까지 적으로 돌릴 수는 없었다. 이러한 국제 외교 와중에 대만 영역에 대한 중국의 포격은 간신히 마무리되었다. 하지만 조금이라도 미국의 방어에 틈이 생기면 그 기회를 놓치지 않는 것이 중국이었다. 1958년, 미국이 레바논 사태에 개입하자 그 틈새를 노려 중국은 다시 진먼섬에 엄청난 포탄을 퍼부었다. 무려 47만 발이나 되었다. 진먼섬은 대만에 속하지만 중국 본토에서 불과 8km 떨어진 섬이라 이 섬을 정복하면 대만까지 가는 교두보를 장악하게 되기 때문에 틈만 보이면 포격을 하는 것이다. 그러자 미국은 대만에 대한 강력한 지지를 표명하는 한편, 즉각 함대를 대만 해협에 파견했다. 중국은 일단 공격을 멈췄지만 이후로도 중국이 미국과 정식 수교를 맺는 1979년까지 20년간 이 섬에 대한 포격은 간간히 계속되었다.

1970년대 들어 중국의 대외 정책은 개혁 · 개방 정책으로 전환되었다. 서방과의 경제 협력을 확대하기 위해서 무력 통일이 목표였던 대만 정책을 전환할 필요가 있었다. 여기서 탄생한 것이 '일국양제(一國兩制)'이다. 하나의 국가에 두 가지 체제를 두어 대만의 국내 정치와 외교 및 안보 등에 자치권을 주는 '특별 자치구'로 만들겠다는 것이었다. 중화민국의 대만 국민당 정부는 무력 통일의 군사적 공격에서 벗어날 수 있다는 것에 안도의 한숨을 쉬었다. 그러나 중국 본토에서 이주해 온 사람들이 아닌 순수한 대만 출신의 정치인들은 생각이 달랐다. 대만 출신 정치인을 대표하는 사람이 리덩후이(1923~2020)다. 그는 장제스의 장남으로 장제스를 이어 총통에 오른 장징궈(1910~1988) 아래에서 부총통을 지냈는데, 장징궈의 후계자로 지목되어 총통에 올랐다. 그의 영향 아래에서 1986년에 '민주진보당(민진당)'이 창당되었다.

민진당은 하나의 중국에 반기를 들면서 대만인들의 반중 감정을 자극하여 제1야당이 되더니, 마침내는 2000년에 민진당의 천수이볜(1951~ ) 정권을 창출해냈다. 오랜 세월 정계를 독주해 오던 국민당에서 민진당으로 정권이 바뀌며 중화민국 수립 이후 최초의 정권 교체라는 역사적인 위업을 달성한 것이다. 천수이볜 정권은 '일변일국론(一邊一國論)'을 주장했는데, 그 뜻은 '대만 해협을 사이에 두고 한쪽에 한 나라가 존재한다'는 것이다. 이러한 주장은 대만 국민의 큰 지지를 얻어 천수이볜 총리는 연임에 성공한다. 하지만 양안 관계는 근본부터 흔들려 중국 대륙과 아슬아슬한 외교 관계를 이어 갔다. 중국이 대만에 대한 전면전을 하면 미국이 여기에 개입하게 되고, 또 이것은 세계 대전으로 나아갈 수 있기 때문에 국제 사회는 지금도 대만의 독립국 문제에 매우 조심스럽다. 중국이 지향하는 '하나의 국가' 안에서 현 상태를 유지하는 쪽으로 사태가 진정되는 것을 바라는 것이다.

이러한 대내외의 바람을 실현시킨 사람이 국민당의 마잉주(1950~ ) 총통이다. 국민당의 기조는 '중국은 하나'라는 것에 흔들림이 없다. 다만 그 중국의 정통은 중화민국 정부인 국민당이라는 생각을 갖고 있다. 마잉주 정권(2008~2016)은 악화된 양안 관계를 회복하는 한편으로 활발한 경제 및 민간인 교류를 통해 정치 · 경제 · 군사 · 안보적인 면에서 안정을 꾀했다. 마잉주 정권은 '불독립, 불통일, 무력불사용'의 3불 정책을 내놓아 국제 사회로부터 신망을 받았다. 이에 따라 중국은 2008년 5월에 세계보건총회에 대만의 옵서버 자격 참가를 인정했고, 대만과 단교하겠다는 파라과이 정부의 제안을 중국이 나서서 거절할 정도로 중국 본토와 대만의 평화적인 관계가 유지되었다. 이것은 놀라운 변화였다. 그동안 중국은 중화민국을 국제적으로 고립시키기 위해 대만과 수교한 국가들을 회유하여 대만과의 외교를 단절하게 해 왔기 때문이다. 현재도 대만이 외교 관계를 맺고 있는 국가는 고작 14개국뿐이다.

한편 대만 국내적으로는 중국이 외치는 하나의 중국에 정면으로 반대하는 신당이 출범했다. 2014년 '해협양안서비스무역협정(ECFA)' 체결에 반대하여 중국의 국회인 입법원을 점검했던 젊은 세대들이 신흥 정당인 ‘시대역량당’을 결성한 것이다. 시대역량당은 2016년의 입법원 선거에서 민진당, 국민당에 이어 제3당의 자리에 당당히 올랐다. 이는 그만큼 대만 국민들의 마음에 하나의 중국에 대한 반감이 높다는 것을 반영한 셈이다. 유권자들의 마음을 잘 파악한 덕분에 2020년 재선에 성공한 민진당의 차이 총통은 천수이볜 총통과 빼닮은 정책으로 대중의 지지를 받았다. 여권에 ‘타이완(TAIWAN)’의 표기를 강조하고, 역사 교과서를 개정하여 대만의 역사와 중국의 역사를 구분하고, 시진핑(1953~ ) 정권 정책을 충실히 따라가는 홍콩과 절연을 선언한 것이 대표적인 사례이다. 2020년 6월에 홍콩 당국이 대만 공관 직원들에게 체류 연장을 원한다면 ‘하나의 중국’을 인정한다는 서약서에 서명하라고 강요하자, 이를 전해들은 대만 정부가 공관을 폐쇄시켰다. 홍콩 당국 역시 대만 내 공관을 폐쇄 조치했다. 이런 예는 또 있다. 2021년 6월 일본 관방장관이 일본과 대만의 관계는 ‘하나의 중국, 양국양제’에 입각한다는 발언을 했다. 이에 대해 대만 외교부는 발끈하여 대만은 대만인들이 선출한 정부에 의해 국내외적으로 대표되며, 중화인민공화국은 1949년 이후 단 하루도 대만을 통치한 적이 없음을 분명히 했다.

## 미국과 중국의 갈등 속에
## 국제 사회가 바라는 양안 관계

최근에는 미국과 중국의 외교 관계가 나빠지면서 의도적으로 미국이 대만을 감싸는 모습도 보이고 있다. 바이든 행정부는 미군함이 대만 해협을 항진하는 '자유의 항해 작전'을 9차례나 실시하여 중국을 자극했다. 중국은 그때마다 전투기를 출격시키며 민감하게 반응했다. 미국은 대만 무기 수출 지원에도 적극적이어서 2021년에는 한 번에 7천 500만 달러 규모의 대만 무기 수출을 승인했고, 2022년에는 그 규모가 더 커져 1억 달러의 무기를 대만으로 수출했다. 시진핑 정권은 직접적인 무력 충돌을 피하고 '일국양제'에 의한 '평화통일'이라는 기본 방침을 유지하고 있지만 이러한 미국과 대만의 밀월 관계를 눈뜨고 보고 있지만은 않았다.

2020년 8월, 미국 낸시 펠로시(1940~ ) 하원의장이 대만을 방문하자 중국은 대만 주변에 6개의 군사 훈련 연습구를 설치했고 대만 상공을 통과하는 미사일을 여러 차례 발사하여 대만을 긴장시켰다. 하원의장의 방문 기간 동안 양안의 중간 경계선을 넘나든 군용기만 104대에 달했다. 그래도 분이 풀리지 않았는지 중국은 대만의 건국 기념일(10월 10일)을 앞두고 하루에 군용기 38대를 방공 식별 구역에 진입시켰고, 10월 초에 단 4일 동안 149대에 달하는 군용기를 방공 식별 구역으로 비행시켰다. 그때마다 대만 군용기는 긴급 발진을 하며 대응에 나섰는데 그 비용 또한 만만치가 않다. 2020년 10월에만 국방비 90억 달러가 긴급 발진으로 소모되었다는 보도도 있다. 한마디로 전면전을 하지는 않지만 항시 대만을 긴장시키며 국방비를 소모시키는 전략을 쓰고 있는 것이다. 또 유사시에는 해상이 완전히 봉쇄될 수 있음을 알려 주는 것이기도 하다.

한편 일본, 영국, 캐나다, 유럽 연합은 반도체와 첨단 기기 분야에서 월등한 기술을 가지고 있는 대만과의 협력이 매우 중요하다고 생각하기 때문에, 중국이 대만에 대한 경제적 제재 조치와 고립화 정책에 대한 압력을 넣을수록 오히려 대만을 적극 방문하며 대만과의 협력을 강화해 나가고 있다. 그럼에도 중국도, 미국도, 국제 사회도 대만 출신 정치인과 젊은 층이 지향하는 대만의 독립에 대해서는 매우 신중한 입장을 갖고 있다. '하나의 중국' 원칙이 무너지고 독립이 선포되는 순간 세계는 또 한 차례의 큰 전쟁에 휩싸일 수 있기 때문이다. 2024년 2월에 친미를 지향하는 민진당의 라이칭더 주석이 40.5%의 지지율로 총통에 당선되었다. 그러자 미국의 바이든 대통령이 즉각 "타이완의 독립을 지지하지 않는다"라며 신중한 발표를 한 것에서도 그 의중을 잘 알 수 있다.

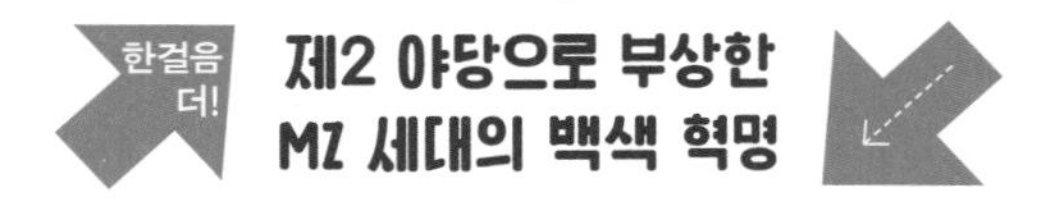


2024년 대만 총선에서 세계를 놀라게 한 정치 세력이 등장했다. 대만의 총통 자리를 놓고 다퉈 왔던 국민당과 민진당의 양당 구도에서, 비록 선거에는 졌지만 파란을 일으킨 제3의 정당인 민중당이 전면에 등장한 것이다.

민중당은 외과 의사 출신의 정치인으로 2014년부터 타이베이 시장을 지내고 있는 커원저(柯文哲, 1959~ )가 2019년에 창당했다. 민중당은 '대만은 우리이고 우리는 국민'임을 당의 기치로 내걸고 MZ 세대의 지지를 얻고 있다. 민중당은 2024년 총선에서 26.46%의 득표율을 기록하는 돌풍을 일으키며 대만 정치의 양당 구도 균형을 깨트리는 '백색 혁명'을 이루어냈다. 대만 총선 선거와 함께 진행된 대만 제11대 입법위원 선거에서 여당인 민진당과 제1야당인 국민당은 모두 과반수 의석을 확보하지 못했다. 비록 민진당이 총통 선거에서는 승리했지만 의석 수에서는 국민당에 2석 뒤졌다. 특히 국민당은 4년 전 선거에 비하여 14석이 늘어났지만, 민진당은 10석이 감소했다. 중국은 의석 수에 초점을 맞춘 대만 총선에 대한 입장문에서 "이번 결과가 대만의 '주류 민의'를 대변하는 것이 아니며…양안의 동포가 갈수록 가깝고 친밀해지려는 공동의 바람을 바꿀 수 없다"고 밝혔다. 2024년에 돌풍을 일으킨 민중당은 친중국의 국민당과 친미 반중국의 집권 여당인 민진당 사이에서 미래를 향한 우수한 인재 양성을 전면에 내세우며 젊은 세대의 지지 속에 양안 문제에 새로운 돌파구를 제시하는 중도 정당으로 성장할 것으로 예측되고 있다.

# 참고 문헌

## 단행본

tvN〈벌거벗은 세계사〉제작팀,《벌거벗은 세계사: 경제편》, 교보문고, 2023.
tvN〈벌거벗은 세계사〉제작팀,《벌거벗은 세계사: 전쟁편》, 교보문고, 2022.
강인선,《여기가 달이 아니라면》, 아웃사이트, 2021.
개리 버지 지음, 이선숙 옮김,《팔레스타인은 누구의 땅인가?》, 새물결플러스, 2019.
구나에다 마사키 지음, 이용빈 옮김,《시리아, 아사드 정권의 40년사》, 한울아카데미, 2021.
김광억 외,《종족과 민족》, 아카넷, 2005.
김명주,《백인의 눈으로 아프리카를 말하지 말라 2》, 미래를 소유한 사람들, 2012.
김석수,《남중국해 분쟁과 권력 정치》, 신서원, 2022.
김영미,《세계는 왜 싸우는가》, 김영사, 2019.
김철민,《보스니아 역사》, 한국외국어대학교출판부, 2005.
김태형,《인도-파키스탄 분쟁의 이해》, 서강대학교출판부, 2019.
나카니시 요시히로 지음, 이용빈 옮김,《미얀마 현대사》, 한울아카데미, 2023.
라시드 할리디 지음, 유강은 옮김,《팔레스타인 100년 전쟁》, 열린책들, 2021.
로버트 D. 캐플런 지음, 김용민, 최난경 옮김,《지리 대전》, 글항아리, 2021.
루츠 판 다이크 지음, 안인희 옮김,《처음 읽는 아프리카의 역사》, 웅진지식하우스, 2005.
뤼슈렌 지음, 부자오치 옮김,《대만은 왜 중국에 맞서는가》, 미디어워치, 2023.
르몽드 디플로마티크 기획, 권지현 옮김,《르몽드 세계사 1》, 휴머니스트, 2008.
마이클 타이 지음, 한승동 옮김,《동 · 남중국해, 힘과 힘이 맞서다》, 메디치미디어, 2020.
문흥호,《대만문제와 양안관계》, 폴리테이아, 2007.
미리엄 데노브 지음, 노승영 옮김,《총을 든 아이들, 소년병》, 시대의창, 2014.
박근형,《티베트 비밀역사》, 지식산업사, 2013.
박석삼,《아랍의 봄과 겨울》, 타흐리르, 2021.
박선규,《전쟁 25시》, 미다스북스, 2021.
빌 헤이튼 지음, 박명섭 옮김,《남중국해: 아시아의 패권투쟁》, 한국해양수산개발원, 2016.
송금영,《아프리카 깊이 읽기》, 민속원, 2020.
쑤치 지음, 지은주 옮김,《대만과 중국》, 고려대학교출판부, 2017.
안성호,《동유럽의 민족문제 연구》, 개신, 2002.
양정규,《이슬람주의 와하비즘에서 탈레반까지》, 벽너머, 2022.
에마뉘엘 토드 지음, 김종완, 김화영 옮김,《제3차 세계대전은 이미 시작되었다》, 피플사이언스, 2022.
염운옥,《낙인찍힌 몸》, 돌베개, 2019.
예바 스칼레츠카 지음, 손원평 옮김,《당신은 전쟁을 몰라요》, 생각의힘, 2023.

우르와쉬 부딸리아 지음, 이광수 옮김,《침묵의 이면에 감추어진 역사》, 산지니, 2021.
유공조,《팔레스타인 문제-그 기원과 전개》, 경희대 출판국, 2003.
유현석,《국제정세의 이해》(제7개정판), 한울아카데미, 2024.
이근욱,《이라크 전쟁》, 한울아카데미, 2021.
이춘근,《전쟁과 국제정치》, 북앤피플, 2020.
임대근,《착한 중국 나쁜 차이나》, 파람북, 2022.
임용한, 조현영,《중동전쟁》, 레드리버, 2022.
장 지글러 지음, 양영란 옮김,《인간 섬》, 갈라파고스, 2020.
장병옥,《쿠르드족 배반과 좌절의 역사 500년》, 한국외국어대학교출판부, 2005.
장준호,《국제정치의 패러다임》, 한울아카데미, 2009.
조길태,《인도와 파키스탄》, 민음사, 2009.
조지프 나이 지음, 양준희, 이준삼 옮김,《국제 분쟁의 이해》, 한울, 2018.
존 아일리프 지음, 이한규 외 옮김,《아프리카의 역사》, 이산, 2002.
중동이슬람문명권 연구사업단,《중동 정치의 이해 1》, 한울아카데미, 2004.
지오프리 파커 지음, 김성환 옮김,《아틀라스 세계사》, 사계절, 2004.
크리스티나 램 지음, 강경이 옮김,《관통당한 몸》, 한겨레 출판, 2022.
테일러 프레이블 지음, 장성준 옮김,《중국의 영토분쟁》, 김앤김북스, 2021.
헬렌 웨어 지음, 이광수 옮김,《국제 분쟁, 재앙인가, 평화를 위한 갈등인가?》, 이후, 2013.

**논문**

김덕일,「하마스, 반유대주의의 화신: 그 이념적 기원과 정체성을 중심으로」,《민족연구》, 2009, vol. no.1
김석수,「소말리아 해적과 알 카에다의 연계 가능성」,《중동연구》, 2011, vol.29
김석수,「홍콩문제가 양안관계에 미치는 영향」,《디지털융복합연구》, 2020, vol.18
김원곤, 박정수,「차이잉원 당선 이후 당면과제와 전망-양안 관계를 중심으로」,《대한정치학보》, 2016, 제24집
김인선,「중동 테러리즘의 테러양상의 변화에 관한 연구」,《한국테러학회보》2013, vol.6
김인아,「미얀마 로힝자 분쟁에 대한 역사적 고찰」,《아시아연구》, 2018, vol.21
김철민,「내전종결 10년, 보스니아 민족문제의 현황과 평화협정 이행에 관한 연구」,《유럽연구》, 2007, vol.25
남옥정,「이라크 전쟁 이후의 쿠르드족의 지위변화 고찰: 이라크의 대 쿠르드족 정책을 중심으로」,《이주사학회》, 2010, vol.2

남옥정, 「카슈미르 분쟁 종식에 관한 연구-독립국 '카슈미르' 건설 방안을 중심으로」, 《군사연구》, 2012, 제134집

라윤도, 「핵보유선언 이후 인도-파키스탄의 갈등해소 노력 고찰」, 《남아시아연구》, 2010, 제15권 3호

류창하, 「코소보 전쟁 특성에 관한 연구」, 《군사연구》, 2015, 제139집

박승규, 김은비, 「시리아 내전의 장기화 요인-전쟁 종결 이론을 중심으로」, 《국방연구》, 2022, vol.65

박장식, 「미얀마 여카잉 무슬림(로힝자)의 딜레마 재고(再考):종교기반 종족분쟁의 배경과 원인」, 《동남아시아연구》, 2013, 23

박종대, 「미국 엘리트 언론이 주장하는 전지구적 책임의 정치적 성격 보스니아 내전과 코소보 분쟁」, 《한국언론정보학보》, 2008, vol.44

박주성, 임채완 「KDP, PKK의 정치이념과 쿠르드 민족주의에 관한 연구」, 《중동연구》, 2016, vol.35

손주영, 「급진주의 지하드관의 형성과 발전」, 《한국이슬람학회총회》, 2006. vol. 16

우병국, 「동아시아에서의 미·중 간 세력전이가 양안관계에 미치는 영향」, 《국제정치논총》, 2009, 제49집

임형백, 「이스라엘과 하마스 전쟁의 역사적 배경」, 《다문화평화》, 2023, 제17집 3호

장병옥, 「이스라엘-팔레스타인 분쟁과 하마스」, 《중동 연구》, 2009, vol.28

장병옥, 「이슬람 원리주의와 테러리즘」, 《한국중동학회논총》, 2002, vol.23

정소영, 「쿠르드 민족주의: 터키, 이라크 사례 비교분석」, 《대한정치학회보》, 2018, vol.26

최영철, 「팔레스타인 국가건설과정에서의 내적 갈등과 협력: PLO와 하마스간의 관계를 중심으로」, 《국제정치논총》, 2003, vol. no.4

최영철, 「하마스의 제도권 진입 과정에 관한 연구」, 《한국이슬람학회논총》, 2008, vol.18

**국제 분쟁으로 보다, 세계사**
**현대의 주요 분쟁들로 이해하는 세계사**

**초판 1쇄 인쇄** 2024년 6월 18일
**초판 1쇄 발행** 2024년 6월 25일

**지은이** 송영심
**펴낸이** 홍석
**이사** 홍성우
**인문편집부장** 박월
**책임 편집** 박주혜
**편집** 조준태
**디자인** 신병근, 선주리
**마케팅** 이송희 · 김민경
**제작** 홍보람
**관리** 최우리 · 정원경 · 조영행

**펴낸곳** 도서출판 풀빛
**등록** 1979년 3월 6일 제2021-000055호
**주소** 07547 서울시 강서구 양천로 583, 우림블루나인 A동 21층 2110호
**전화** 02-363-5995(영업), 02-364-0844(편집)
**팩스** 070-4275-0445
**홈페이지** www.pulbit.co.kr
**전자우편** inmun@pulbit.co.kr

**ISBN** 979-11-6172-930-5 04900
979-11-6172-882-7 04900 (세트)